Cours Familier de Littérature
Volume 14

Alphonse de Lamartine

Cours Familier de Littérature
Volume 14

I.

Quoi qu'il en soit de ce vœu, comme de tant d'autres, le livre de M. de Marcellus est un des livres de jeunesse qui sont les plus doux à emporter dans son bagage de voyageur ou à feuilleter dans son âge avancé, quand on veut se donner une odeur du printemps de la vie; on y vogue, on y change d'horizon à tous les levers de l'aurore; on y chante à demi-voix les vers mémoratifs de ses études, on y parle la plus riche et la plus sonore des langues; et, par-dessus tout, on y cause avec un compagnon de route toujours instruit, toujours spirituel, toujours tempéré et souriant, qui semble avoir en lui la précoce et froide sagesse du vieillard à côté des belles illusions de la vie.

Ce livre est bien loin d'avoir autant de réputation qu'il en mérite. La tombe, comme le lever du vrai jour, rendra à M. de Marcellus toute la justice que l'ignorance ou le préjugé des partis lui a fait attendre. C'est le cours le plus complet et le plus vivant de l'archipel grec et ionien qu'un disciple d'Homère ait fait faire à la génération présente.

Le voyage en Sicile, qu'il fit longtemps après, en 1841, est une promenade classique autour de l'Etna, de l'histoire, des monuments. Mais cela n'a pas la séve jeune et pittoresque du souvenir d'Orient. On sent que l'homme mûri et désenchanté se promène le soir pour se donner les consolations et les diversions de la vie active qui lui était refusée. Il y a toujours de l'érudition, mais il n'y a plus d'illusions: le soleil baisse. M. de Marcellus pensait à autre chose.

II.

À quoi pensait-il?

Il pensait à un autre livre, la Politique de la Restauration, publié deux ans après.—Ce livre est une répétition des anecdotes littéraires analysées par nous au commencement de cette étude. Il y met en corps ce qui était en pages. C'est toujours le très-intéressant récit de ses négociations entre M. de Chateaubriand, ambassadeur à Londres, et M. Canning, ministre des affaires étrangères du gouvernement britannique, son ami.

Les correspondances de M. de Chateaubriand sont justes, fortes, héroïques. Il veut grandir la politique monarchique de son gouvernement, malgré M. de Villèle et malgré les Anglais. Sa personnalité rigoureuse le tourmente et tourmente tout le monde, jusqu'à ce qu'il ait forcé la main à M. de Villèle et à l'opposition du parti libéral, à la politique méticuleuse de M. de Villèle, à la jalousie de M. Canning; il triomphe enfin et vole au congrès de Vérone, malgré tout le monde.

Du moment qu'il y paraît, il est le maître, il supplante peu loyalement M. de Montmorency, il entraîne M. de Villèle, il dompte M. Canning, il affronte courageusement l'opposition bonapartiste des Chambres françaises. Il élève la Restauration à son apogée, il restaure la monarchie des Bourbons en Espagne, il tombe enfin, mais dans son triomphe, sous l'animadversion très-méritée, mais très-imprudente, de M. de Villèle.

La correspondance, fort sensée, habile, éloquente de son confident à Londres, de M. de Marcellus, souvent égale à celle de M. de Chateaubriand, moins passionnée, moins aventureuse, plus honnête, montre dans ce jeune diplomate un futur ministre, très-capable de comprendre l'Europe, s'il n'était pas encore capable de la diriger.

C'est un beau livre de métier pour ceux qui, comme nous, étaient appelés un jour à tenir le gouvernail de la France. Il répond victorieusement à ceux qui ont tant calomnié la politique de cette monarchie, et qui écrivent aujourd'hui leurs calomnies comme de l'histoire.

Alger, l'Espagne, les deux grands actes extérieurs de la Restauration, prouvent que, malgré la difficulté de sa situation, l'honneur et la grandeur de la France n'ont jamais été en péril sous les ministres de la Restauration. M. de Marcellus a versé une complète lumière sur cette question.

La réputation du gouvernement des Bourbons à l'extérieur est rétablie irréfutablement dans cet excellent ouvrage. L'opposition de quinze ans y joue un pauvre rôle. C'est de là que date pour moi ma mésestime du gouvernement parlementaire d'alors, et mon goût pour la république; gouvernement quelquefois terrible, mais au moins vigoureux et franc, où les dictatures ont la force des institutions, et qui font faire aux nations ce qu'elles veulent, et non pas ce que veut un groupe d'intrigants, mentant au peuple du haut de la presse et de la tribune, et faisant peur aux rois des peuples, et des rois aux peuples.

Rien de grand avec ce gouvernement de manéges et de factions bavardes. Excepté dans l'affaire d'Alger et dans l'affaire d'Espagne, tous les gouvernements de la France, pendant les trente ans du gouvernement des Chambres et des journaux, n'ont été que le gouvernement de l'opposition!

Et ces hommes voudraient recommencer? J'aime mieux ce qui est; c'est une leçon au moins à l'intrigue.

Je préférerais la république souveraine et absolue: elle est agitée, mais elle est forte. Les pires des tyrannies sont les petites tyrannies; les tyrannies parlementaires sont mesquines en France; franchement, j'en ai trop souffert pendant trente ans de ma vie pour ne pas les détester.

III.

Après quelques opuscules d'érudition grecque et classique, M. de Marcellus écrivit tout récemment son meilleur livre sous un titre et sous une forme qui promettaient peu et qui tenaient beaucoup; c'est son Commentaire sur les Mémoires de M. de Chateaubriand. Ces mémoires sont la lie du vase, cuvée et versée, du cœur aigri de ce grand homme du siècle.—Nous disons grand, nous ne disons pas bon.—Ces mémoires protesteraient contre l'épithète.

Esprit immense, mais cœur sec, il aspirait à deux gloires, et il les méritait: la gloire des lettres et la gloire des affaires. Il avait conquis du premier coup la première. Malgré ses pompeuses fidélités aux Bourbons, il n'avait jamais été fidèle qu'à lui-même.

Revenu d'Angleterre, il avait été l'ami intime de l'ami de César, Fontanes, comme Horace avait eu Mécène pour patron. Il s'était introduit sous les auspices très-peu bourboniens du moderne Mécène dans la société très-intime des sœurs de Bonaparte, et surtout d'Élisa Baciocchi. Ce n'était pas sans doute pour servir les Bourbons qu'il était un des assidus de Joseph Bonaparte; ce n'était pas non plus pour servir les Bourbons qu'il avait été nommé secrétaire d'ambassade à Rome, dans une ambassade confidentielle du cardinal Fesch, oncle de Bonaparte, pour y faire abandonner la légitimité proscrite, vieillie et impuissante, par la religion, en faveur du nouveau Charlemagne; ce n'était pas non plus par fidélité aux Bourbons qu'il avait brigué le poste ridicule de ministre de France auprès de la bicoque de Sion, dans le canton du Valais. Il s'y ennuyait et aspirait à en sortir à tout prix, quand le meurtre du duc d'Enghien vint soulever le monde et qu'il donna sa démission, très-honorable, pour ne pas être à jamais impliqué dans une machine gouvernementale qui égalait du premier coup la Terreur.

Il y eut à cette démission de la dignité, il n'y eut point d'héroïsme. Bonaparte ne pensa point du tout à faire sabrer son ministre démissionnaire; M. de Fontanes, Élisa, sœur de l'empereur, Pauline Borghèse, sa sœur plus aînée, Joseph Bonaparte, étaient là pour détourner le coup. Une femme belle et célèbre du temps m'a raconté bien souvent toutes les démarches de ces amis de l'écrivain pour faire pardonner, cet acte d'opposition, et pour obtenir de Bonaparte un poste supérieur à l'ambassade de Sion. Tout cela était très-honorable, sans doute, mais très-peu dévoué à la légitimité.

Il en fut de même à l'époque de sa réception à l'Académie française; j'ai lu ce discours dans lequel il loue en termes magnifiques, en commençant, le nouveau César et la nouvelle impératrice, femme, fille des Césars; il se refusa seulement à louer le régicide ou à l'amnistier dans la personne de Chénier qu'il avait à remplacer, et à raturer quelques phrases à double sens sur Tacite. La réception fut ajournée, voilà tout.

Je doute que Louis XVIII, à Hartwell, et Charles X, à Londres, eussent considéré comme des professions de foi à leur maison et à leurs malheurs l'éloge classique et cicéronien de la dynastie corse, et de l'impératrice, nièce de Marie-Antoinette, inauguré en pleine Académie par ce Bossuet de seconde dynastie.

Il n'y a rien dans tout ce début de l'écrivain émigré, courant à la fortune et aspirant aux dignités sous un règne illégitime, qui commandât aux Bourbons un devoir de reconnaissance bien motivé, de la part de la dynastie non trahie, mais bien oubliée.

M. de Chateaubriand n'a pas cessé cependant de se présenter très-franchement au monde, après la Restauration accomplie, comme le type invariable et le héros accompli de la légitimité! Véritable fidélité à son propre honneur, cela est vrai; mais fidélité aux Bourbons qui ne se révèle tout à coup qu'après la chute de Napoléon.

IV.

Voilà la vérité; elle n'a rien de coupable, mais elle n'a mon plus rien d'estimable et de dévoué. La mort néfaste du duc d'Enghien a coûté à des millions de cœurs, en France, des larmes qui n'ont pas demandé de salaire.

Quoi qu'il en soit, M. de Chateaubriand, après que Napoléon fut bien tombé, publia une brochure qu'il portait, dit-il, depuis quelques semaines sur son cœur sous son habit, et qui ne voulait pas se tromper d'heure. C'était une diatribe pleine de mépris et de calomnies, sciemment calomnies, contre Napoléon; arme peu loyale, car aucune calomnie n'est de bonne guerre contre l'ennemi; pas plus celle qui impute à Napoléon d'avoir été à Fontainebleau traîner par ses cheveux blancs le pape sur le parquet, que celle du même écrivain qui accuse le bon et honnête M. Decazes, favori de Louis XVIII, d'avoir trempé dans l'assassinat du duc de Berry:—Le pied lui a glissé dans le sang! De tels mots, sciemment faux dans la pensée de celui qui les écrit, donnent la mesure de sa conscience.

M. de Chateaubriand avait une grande âme, une imagination splendide, un accent antique, une conscience d'apparat et un mauvais caractère. La tête était, au physique comme au moral, immense, le jugement sain, le cœur sec, froid.

Il ne voulait de la vie que les grands rôles. Il avait compris de bonne heure dans l'histoire que les infortunes, la pauvreté, l'exil, la fidélité réelle ou apparente aux causes perdues, forment devant la postérité un contraste pathétique avec le génie qui donne le plus sublime de ces rôles à la vie du grand citoyen, ou du grand poëte, ou du grand politique. De là, une extrême ambition littéraire, satisfaite du premier coup par le succès le plus fantastique qui fût jamais, succès que toute une religion relevée, vengée, illustrée, avait porté jusqu'à l'idolâtrie.

V.

Nous avons vu que ce succès littéraire n'avait été que l'amorce de son ambition, qu'il avait parfaitement oublié ses rois exilés, et qu'il s'était rallié à Bonaparte, recommençant l'ère de Charlemagne par la restauration du culte.

L'épisode de la mort du duc d'Enghien l'avait rejeté d'horreur dans le peu d'opposition qu'on osait faire alors indirectement à la tyrannie. Son génie, cet acte et sa brochure de Bonaparte et des Bourbons le placèrent naturellement, en 1814, à la tête de ceux que le nouveau gouvernement adopta pour illustrer son retour par la popularité du premier nom religieux et poétique de l'Europe, et à la tête de ceux qui saluèrent les Bourbons. On avait trop besoin les uns des autres pour se chicaner sur la légitimité des titres. Le passé fut oublié, et M. de Chateaubriand passa pour le fidèle des fidèles.

Là commence son rôle politique; il se montra homme de tact du premier coup de plume; il vit juste, il vit loin, il vit en grand toute chose. Nommé ambassadeur dans des cours du Nord secondaires, il ne partit pas, ou il se hâta de revenir; il ne lui convenait pas de languir oublié, Paris était sa scène. Un journal, célèbre pour ses talents, le Journal des Débats, lui prêta ses amitiés et ses pages. Son importance s'en accrut; nommé pair de France par le roi, il changea de parti plusieurs fois par d'habiles transactions qui le menaient au but, tantôt foudroyant dans M. Decazes un favori du roi, tantôt caressant dans M. de Villèle et dans ses amis royalistes modérés un parti dont il pressentait l'avenir; il se fit craindre et aimer, selon les temps. Nommé ambassadeur à Londres par M. de Villèle, qui voulait se débarrasser d'un concurrent dangereux à Paris, il alla à Londres, mais il ne tarda pas à y affecter un superbe ennui, et à demander un rôle plus actif au congrès de Vérone; il y fut nommé. Il affectait alors la politique modérée, prudente et temporisante de M. de Villèle; à peine au congrès, il la combattit sous main, se défit de M. de Montmorency, son ami, emporta la résolution du congrès pour l'intervention en Espagne, revint à Paris supplanter M. de Montmorency au ministère des affaires étrangères, et conduisit énergiquement la guerre d'Espagne, si profitable à la monarchie.

À peine terminée, il aspire à supplanter M. de Villèle comme il avait fait de M. de Montmorency; il tendit quelques piéges à M. de Villèle dans la chambre des pairs pour faire rejeter ses plans délibérés en conseil; M. de Villèle et ses collègues, offensés et indignés, le congédièrent sans ménagement et par ordre du roi.

VI.

La colère le saisit et ne l'a plus quitté jusqu'à la mort! Il jura de se venger, il se vengea; il prit le Journal des Débats pour armée et sa plume d'écrivain pour arme. La nature, quoi qu'il en dise, ne l'avait pas créé éloquent; il avait besoin de cuver longtemps, sa plume à la main, des discours rares et lus; ses foudres se forgeaient péniblement dans son cabinet, au feu soufflé de ses rancunes.

Ses brochures et ses articles de journaux avaient l'éclat, mais n'avaient pas la chaleur soudaine de l'improvisation. C'était un homme d'État, ce n'était nullement un homme de tribune; il se soignait trop par excès d'amour-propre, pour se présenter à l'Europe en négligé. Mais ses sentences rédigées avec une patience laborieuse, et ses mots aiguisés de sang-froid, indiquaient bien la passion de l'opposition.

Il se popularisait, tantôt comme royaliste, tantôt comme bonapartiste, tantôt comme républicain, pour nuire au ministère. Son nom, qui servait ainsi tous les ennemis des Bourbons, grandissait comme une arme à deux tranchants propre à toute main. Les hommes supérieurs n'ont pas de peine à se faire pardonner le passé! Leurs talents les amnistient aussitôt qu'ils consentent à les prêter. Royalistes, bonapartistes, républicains, prenaient de toutes mains leur vengeance. La monarchie s'affaiblissait de toute la popularité, à trois feux comme la foudre, que forgeait M. de Chateaubriand contre M. de Villèle. Un moment relégué à Rome par le ministère de conciliation qui suivit la disgrâce de ce ministre, M. de Chateaubriand espérait le remplacer. Ce fut la dynastie d'Orléans qui le remplaça.

Quelques écoliers ameutés, sans autre but que l'émeute, rencontrèrent par hasard M. de Chateaubriand dans les rues de Paris, et le rapportèrent en triomphe à son hôtel de la rue d'Enfer. Il prit cela pour un triomphe, c'était le triomphe de sa défaite. Il balbutia avec eux quelques mots de liberté, et on les applaudit dans sa bouche; il rentra chez lui pour se féliciter de sa haine assouvie contre les ministres, mais les ministres avaient entraîné les Bourbons.

VII.

La branche d'Orléans espéra le rallier à sa cause. Son entrevue avec le roi, la reine, sa sœur, au Palais-Royal, eut pour objet, de sa part, de faire reconnaître Henri V et la régence, et, de la part de la maison d'Orléans, de le séduire et de le rendre complice de leur usurpation du trône; son honneur s'indigna, il les quitta pour jamais, et s'enferma dans sa retraite; mais il honora toutefois cette retraite par un acte mémorable et réfléchi, un noble adieu au monde, où il plaida la cause perdue des rois fugitifs. Sa protestation inopportune, solitaire et sans écho, était sans danger, mais non sans dignité personnelle. Elle honore la fin de sa vie publique.

VIII.

Depuis ce jour il disparut, non du cœur des royalistes, qu'il consolait par des phrases de fidélité posthume, trop injurieuses pour la nouvelle dynastie. Puis il fit quelques visites à Charles X dans son exil, visites qu'il ébruita, au retour, par des sarcasmes; la pudeur de ses amis les lui fit retrancher de l'impression; mais je les ai moi-même entendus chez madame Récamier, sa dernière amie, et j'en ai gémi pour l'honneur du cœur humain; il y flattait les ennemis de tous les trônes par des moqueries domestiques. Que restait-il donc à dire aux républicains contre les rois, quand celui qui se disait leur Blondel mêlait à d'emphatiques déclamations de fidélité des railleries contre ses idoles officielles? Était-ce la peine d'aller surprendre les faiblesses, les douleurs, les confidences de leur intérieur pour les étaler ensuite en style qui appelait le sourire devant leurs ennemis?

Charles X avait un décorum à garder devant ce visiteur équivoque, mais il ne s'y trompait pas, et il nourrit jusqu'à sa mort une animadversion très-fondée contre M. de Chateaubriand.

IX.

Ce fut le temps où il acheva ses Mémoires politiques, commencés, retouchés, polis, raturés, comme sa situation, pendant toute sa vie politique. M. de Marcellus avait été le confident de ses retouches.

Dévoué de bonne heure à ce grand écrivain, par admiration d'abord, par communauté de cause ensuite, par affection sincère enfin, il attendit la mort de M. de Chateaubriand pour ne pas contrister sa vieillesse par les sévérités de ses commentaires.

M. de Chateaubriand mourut le jour du triomphe de la République contre les factieux qui voulaient s'en emparer pour la pervertir en démagogie folle et sanguinaire. Aux journées de juin 1848, nous gagnâmes la bataille des trois jours dans les rues de Paris; ce fut un triomphe douloureux, mais ce fut le premier triomphe de la République française sur la démagogie. Le bruit de cette bataille empêcha la France de ressentir la perte de son grand écrivain. Sa vieillesse avait été morose, désenchantée de poésie, hors l'amitié pieuse d'une femme dévouée à sa gloire quand même, et au culte de quelques rares amis, parmi lesquels quelques spirituels observateurs qui affectaient la tendresse et qui prenaient mesure de ses faiblesses.

Ses Mémoires parurent: ils étonnèrent le monde par l'esprit de ses jugements sur les hommes et sur les choses de son temps. On eût dit qu'il n'avait jamais eu besoin d'indulgence, et que le monde ne continuait de vivre après lui que pour se charger de ses vengeances. Je ne parle pas ici par ressentiment d'auteur, car je suis le seul poëte du temps et le seul homme politique de son époque qui soit, comme poëte, placé par lui dans la compagnie immortelle d'Homère, de Virgile, de Racine, et, comme homme de tribune et de hautes affaires, au rang des hommes de bon sens. Je n'avais pas alors supporté le poids de la révolution de 1848 et de la République. Je lui suis très-reconnaissant en ce qui me touche; je n'avais jamais été de ses amis, je n'avais aucun droit à m'attendre à ses jugements favorables. Il ne m'aimait pas; il évitait de prononcer mon nom pendant sa vie, et, comme ministre des affaires étrangères, il nuisait à ma fortune. Mais il m'a rendu bien plus qu'honneur comme poëte, et plus que justice comme homme politique.

Ce livre a des pages admirables comme style, et déplorables comme caractère. Roman grec dans le commencement, diatribe universelle à la fin, il affecte partout un style tellement figuré, tellement recherché, tellement ronsardisé, par l'affectation du style gaulois de Rabelais et de Montaigne, qu'on ne sait en quel siècle on vit en le lisant. Rien n'y coule, tout s'y cristallise pour briller; chaque phrase demande à être trois fois lue, mais relue deux ou trois fois pour être comprise. C'est une énigme perpétuelle offerte par l'auteur à la malignité du lecteur. Disons franchement le mot, c'est mauvais en masse, souvent beau en détail; cela n'honore pas M. de Chateaubriand, et cela déshonore autant qu'il le peut tout son siècle.

Eh bien, ce livre, mauvais de forme, même de fond, a servi de texte à un excellent livre. C'est le commentaire respectueux, mais juste, du disciple sur le texte d'un maître qui s'égare. Ce commentaire est bien supérieur au texte; toutes les anecdotes y sont rectifiées, toutes les injures palliées, tous les excès de bile adoucis, tous les venins de style réparés, déplorés, excusés, de façon qu'il ne reste guère que de belles choses à admirer et un grand homme à comprendre.

M. de Chateaubriand doit immensément à M. de Marcellus; il le réhabilite en étendant son manteau sur ses défauts de cœur et sur l'affectation de style de ce grand écrivain. Peut-être y a-t-il trop d'indulgence, mais qui sera indulgent, si ce n'est un ami?

M. de Marcellus absout M. de Talleyrand de crimes. Le nom de M. de Talleyrand, dit M. de Marcellus, ne tombe jamais de la plume de M. de Chateaubriand sans y avoir été marqué d'un fer chaud à son passage. Et, à propos de ces crimes, il est curieux de lire ce qu'en dit M. de Talleyrand lui-même cité par M. de Marcellus:

«Est-ce qu'un homme habile a jamais besoin de crimes? C'est la ressource des idiots en politique. Le crime est comme le reflux de la mer; il revient sur ses pas, et il noie. J'ai eu des faiblesses; quelques-uns disent des vices; mais des crimes? Fi donc!»

M. de Marcellus explique son amitié pour M. Bertin, cet homme d'État de la presse dans le Journal des Débats, par une sympathie de cœur conçue entre eux au chevet de mort de madame de Beaumont, fille charmante du ministre de Louis XVI, décapité (M. de Montmorin).

M. de Chateaubriand adorait madame de Beaumont; il lui érigea un monument funèbre à Rome, dans l'église Saint-Louis-des-Français, pendant qu'il était secrétaire d'ambassade sous le cardinal Fesch. Avoir pleuré ensemble une personne aimée est le lien des cœurs.

La carrière entière de M. de Chateaubriand se ressentit de cette sympathie des Débats. MM. Bertin, les complices de son opposition royaliste contre les Bourbons, ne l'abandonnèrent jamais, même sous la monarchie de 1830, à laquelle ils adhérèrent par politique, monarchistes de toutes les monarchies, mais monarchistes exigeants et inquiets, qui personnifient encore aujourd'hui l'exigence et l'inquiétude du caractère de leur premier maître. Cela fait honneur aux deux, il se cache toujours un bon sentiment dans les âmes qui ont aimé!

C'est le parfum de l'amour, indélébile comme ce qui est divin; on sent jusqu'à la dernière vieillesse qu'il a passé dans les cœurs, et qu'il a amélioré la nature.

X.

Pendant son ambassade de Rome, peu de temps avant la révolution de 1830, M. de Chateaubriand, triomphant de l'élection d'un pape faite sous ses auspices, heureux en fortune, heureux en séjour, heureux en sentiment pour des personnes innomées, se prend, comme à l'ordinaire des grandes âmes, d'un fastidieux dégoût pour tant de félicités, et continue à écrire ses Lamentations très-déplacées à son ancien secrétaire de Paris.

Ici, le vrai sentiment de M. de Marcellus se dévoile, comme à son insu, dans un jugement de trois lignes, en marge dans ces lettres.

«J'avais une tête très-froide et très-bonne, dit l'auteur d'Atala, et le diplomate, aussi grand que juste et ambitieux dans ses vues, avait le cœur cahin-caha pour les trois quarts et demi du genre humain.»

Voici le cri du commentaire, cette fois plus juste que bienséant, arraché à M. de Marcellus par la flagrante ingratitude envers l'âme de Juliette (madame Récamier), oubliée si cruellement pour des affections légères à l'âge du poëte:

«Je crois, dit-il, qu'il faut rétablir ainsi cette phrase: J'avais une très-froide et très-bonne tête, et, après, le cœur cahin-caha pour les trois quarts et demi du genre humain. Ajoutons pour être vrai: Comme pour la moitié au moins de l'autre demi-quart!»

Ce qui veut dire en bon français: Je n'avais de cœur que pour moi!

C'est le jugement qu'en porte M. Joubert, son premier ami, dans une lettre confidentielle à M. Molé, révélée aujourd'hui même pour la première fois, et publiée par M. Sainte-Beuve.

XI.

Le ministère Polignac, préambule d'une révolution certaine, rappela M. de Chateaubriand à Paris. M. de Marcellus est nommé quelques jours après son secrétaire d'État par le prince de Polignac. M. de Marcellus hésite quelques jours entre son dévouement de royaliste, son ambition naturelle, et son jugement très-sain sur l'inopportunité du défi de Charles X à la France alors libérale. Il va consulter M. de Chateaubriand comme l'oracle dans le désert, à l'hospice de la rue d'Enfer, où il s'était relégué. M. de Chateaubriand lui prophétisa la catastrophe prochaine et certaine. Marcellus refusa courageusement ces fonctions. Ce fut un bel acte de conscience et de foi dans sa politique de modération.

Pendant ces hésitations, le prince de Polignac, qui m'aimait, pense à moi; il m'écrit, me conjure de venir à Paris, m'offre avec instance la direction des Affaires étrangères; je n'hésite pas à refuser.—Il insiste sur un entretien; j'arrive à Paris, je cause à cœur ouvert avec lui, il est moins sincère avec moi qu'avec M. de Marcellus, il nie imperturbablement la pensée du coup d'État.

«Je le crois, puisque vous le dites, mon Prince, lui dis-je, vous ne le voulez pas, mais la logique et votre situation le veulent! Je suis royaliste, je suis jeune, je ne veux à aucun prix dater d'un coup d'État malheureux dans la politique, et commencer par une révolution où les Bourbons périront.»

Je fus nommé ministre à Athènes, et je m'éloignai!... M. de Marcellus expia longtemps son refus.

XII.

Les événements ne me donnèrent pas le temps de rejoindre mon poste; M. de Marcellus et moi nous déclinâmes la confiance et l'involontaire complicité de l'acte. Il se retira par pressentiment et conviction. Il fut fidèle à la monarchie légitime après les Bourbons, je restai fidèle à mon honneur en refusant de servir la seconde monarchie. Excepté la République, dictature de tout le monde, je ne voulus plus servir personne.

Cela a fait dire aux républicains, que je ne servais pas ma: «Défiez-vous de lui, c'est un légitimiste!» Et les niais l'ont cru. À leur place j'aurais redoublé de confiance, et j'aurais dit: «C'est un homme d'honneur, et, puisqu'il a été fidèle à la première heure par un sentiment de famille et de tradition, il le sera à la dernière, quand on n'a plus d'autre famille que la patrie et le peuple.» Mais ils ont cru qu'un royaliste de cœur, à vingt ans, ne pouvait jamais être un bon citoyen à cinquante, et qu'un homme fidèle à son serment sous les Bourbons ne serait qu'un traître sous la République!

Vous voyez où cette belle logique a mené la République. Mais passons!

XIII.

M. de Marcellus raconte les entretiens confidentiels qu'il eut avec la duchesse d'Angoulême.—Elle ne se fiait pas plus que nous, la noble femme, aux ordonnances, coup d'État désarmé. La législation des coups d'État, c'est la conscience de celui qui les tente, mais il ne faut pas les manquer.

Elle ne m'a jamais calomnié dans son exil, celle-là! Que la pitié de la terre et la bénédiction de Dieu la suivent dans sa tombe! Princesse tragique dès son berceau, elle fut triste jusqu'à la mort. Les Français l'en ont accusée; voulaient-ils donc qu'elle dansât sur les cadavres de son père et de sa mère? La tristesse est la bienséance des victimes.

XIV.

Le livre finit par une réflexion touchante et haute que M. de Marcellus prit ou imputa à Massillon, et qui fit relever la tête de M. de Chateaubriand vieilli, qui ne pouvait supporter sa verte vieillesse.

«Que sont maintenant, lui disait-il avec la pompe en deuil de ses entretiens familiers, que sont tous ces beaux fleuves si célèbres dont nous avons vu l'un et l'autre les bords?—De tristes souvenirs qui nous reprochent notre vieillesse.—Non! non! m'écriai-je, dites de beaux souvenirs qui embellissent nos derniers jours. Pourquoi donc le cœur serait-il sans force contre ces conditions de la vie? Il faut bien, ajoutai-je lentement, que l'affliction soit de quelque profit aux hommes, puisque Dieu si bon a pu se résoudre à les affliger.»

XV.

Ainsi finit le livre par une réflexion morose sur la vie, et par une réflexion juste et consolante, pleine de confiance en Dieu qui a fait ou permis la douleur.

Ainsi se dessinent les deux caractères: l'un léguant ses désespoirs et ses rancunes à la postérité, l'autre remettant le passé et les peines de l'avenir à la bonté de Dieu!

On ne peut s'empêcher, malgré tout le talent déployé, de plaindre l'un, et de chérir l'autre.

XVI.

Après ces excursions toujours rétrospectives sur la politique et ses belles années, M. de Marcellus revint à sa chère Grèce. Il décrivit et traduisit ses chants populaires.

Après M. Fauriel, il y avait encore à glaner. Ce qui fait l'intérêt et le charme de ces chants, c'est moins le chant lui-même que le cadre qui les enserre. Ce cadre est presque toujours une scène de l'Odyssée de jeunesse de M. de Marcellus, voguant ou chevauchant sur les mers ou sur les montagnes du Péloponèse. Il savait le grec ancien comme Homère, il savait le grec moderne comme un klephte. C'était l'époque héroïque de l'indépendance hellénique. L'Europe était folle d'hellénisme.

On oublie que des siècles ont remué ces lieux et ces peuples, et qu'il peut en sortir des peuples nouveaux à force de vieillesse, mais jamais d'anciens peuples. On se figure qu'on va ressusciter Miltiade ou Thémistocle dans la personne d'un corsaire ou d'un berger des mers ou des montagnes; que Démosthène et Cicéron vont succéder immédiatement au pape.

On oublie que deux mille ans ont passé, et que des millions de barbares ont été colonisés avec leurs mœurs nouvelles pendant des siècles et des siècles en Italie et en Grèce. De là, le mécompte de tous ces rêves pour refaire le passé sans éléments, au lieu d'améliorer le présent avec ses éléments propres. Mais alors la Grèce fanatisait l'Europe; on n'était ni chrétien ni musulman, on était Grec, comme aujourd'hui on n'est ni catholique ni carbonaro, on est Piémontais. Les oppositions ont des engouements comme les poëtes; il faut se hâter de les saisir pendant qu'ils passionnent à froid les orateurs et les journalistes, car ces engouements passent vite et ne reviennent pas de même.

XVII.

M. de Marcellus, qui était jeune, les partagea de bonne foi pour les klephtes, pour les corsaires, et pour les bergers sauvages de la féroce Albanie. Je ne les partageai que dans la mesure de mon bon sens; cependant je publiai moi-même le poëme du cinquième chant de Child Harold, imité assez servilement du beau poëme de lord Byron. Mon enthousiasme était médiocre comme un pastiche, mon succès fut médiocre aussi: je fus puni d'avoir feint un engouement qui n'était pas sincère.

Je savais bien au fond qu'on ne ressuscite ni peuple, ni nationalité, ni religion sur la terre au gré du caprice des imaginations d'orateurs ou de journalistes en quête de popularité. J'avais un sentiment d'admiration et de pitié pour ces belles îles de l'Archipel, où fleurissent en hommes et en femmes la plus charmante jeunesse du monde; mais je n'avais aucune haine pour Mahomet et pour ce peuple religieux, pasteur et guerrier, qui était venu à son temps balayer des vallées de Bithynie la corruption byzantine, et prêcher l'unité de Dieu, ce dogme des Arabes, à la place des superstitions ingénieuses de l'Église grecque qui touchent de si près à l'idolâtrie.

Je prévoyais que la Grèce ressuscitée, non par son génie propre, mais par un roi allemand, ne contenterait ni les Grecs ni les Turcs; la question se réduisait donc, au fond, à savoir si nous préparerions aux Russes l'empire de la Méditerranée; j'aimais mieux pour la France et pour l'Europe équilibrée les Turcs pour voisins que les Russes.

La bataille de Navarin, que nous ne livrerions certes pas aujourd'hui, ne fut donc à mes yeux que ce qu'est aujourd'hui l'unité piémontaise et anglaise en Italie: un solécisme en politique, une pierre d'attente de l'Angleterre, une sublime bévue de la politique d'opposition. Puisque nous l'avions purgée des

Autrichiens, il fallait la confédérer comme l'Archipel grec en 1822, et la protéger, mais non la soumettre au joug des Cisalpins pour la laisser croître. La liberté ne s'improvise pas sous la tyrannie, encore moins sous l'anarchie.

XVIII.

Quoi qu'il en fût, M. de Marcellus, par esprit littéraire, et par esprit sérieusement chrétien, se mit à parcourir la Grèce nouvelle et l'Albanie, ni littéraire ni chrétienne, mais tour à tour, et selon le goût des Albanais, chrétienne ou mahométane comme son héros Scanderbeg, pour y chercher un nouvel Homère. Il n'y trouva rien que des chants dits populaires qu'on admira par parti pris, mais qui ne sont pourtant que des complaintes du peuple.

Défions-nous en toute langue de la poésie des rues, des mers et des montagnes, destinée à charmer les peuples ignorants. Cela est court, cela est monotone, cela est affecté ou trivial; cela contient cinq ou six images gracieuses, naïves, fortes, mais toujours les mêmes scènes: les airs que le berger siffle à son cheval, ceux que le matelot psalmodie à sa barque, couché à l'ombre de sa voile, ou l'amant à sa maîtresse au clair de lune. Ce n'est ni la malignité spirituelle et savante de Béranger, poëte d'opposition, épigrammatique, libéral, mais nullement populaire; ni la belle et naïve poésie homérique de Mistral dans son poëme antique de Mireille: c'est un patois pour les veillées des peuples de Provence!

C'est là un poëte populaire, ou plutôt c'est là un poëme écrit dans la langue du peuple avec les idées, les habitudes, les travers, les loisirs des amants, dans les basses classes des peuples!

Mais c'est Hugo, Vigny, Dumas, Laprade, Marcellus, Autran, Lamartine, qui les lisent.

Le peuple n'a ni le goût ni le temps, il a l'haleine courte; s'il est pieux, un couplet des cantiques de Marseille; s'il est impie, un couplet de Béranger, voilà son affaire; s'il est soldat, une strophe armée de la Marseillaise; voilà la poésie populaire. Or la Marseillaise, sublime en musique, est peu admirable en poésie; c'est un beau chœur des frontières de la France résonnant au pas de charge sous les pieds de l'étranger; mais les paroles sont des cris et non un poëme.

M. de Marcellus, comme M. Fauriel son devancier, ne rapporte donc que des scènes poétiques et peu de poésie. Quelques-unes de ces scènes sont de Salvator Rosa, quelques autres de l'Albane, jugez-en:

LES VOLEURS.

Les voleurs étaient venus sur la montagne pour y voler des chevaux, et ils n'y trouvèrent point de chevaux. Alors ils prirent mes petits agneaux et mes petites chèvres.

Puis ils s'en vont, s'en vont, s'en vont!
Hélas! hélas! hélas!
Ô mes pauvres petites brebis!
Ô mes pauvres petites chèvres!...
Vaï!!!

Ils m'ont pris l'écuelle où je mettais mon lait; ils ont pris ma flûte jusque dans mes mains.

Puis ils s'en vont, s'en vont, s'en vont!
Hélas! hélas! hélas!
Ô ma pauvre petite écuelle!
Ô ma pauvre petite flûte!
Vaï!!!

Ils m'ont pris le bélier qui portait la clochette, dont la toison était couleur d'or, et la corne d'argent.

Et ils s'en vont, s'en vont, s'en vont!
Hélas! hélas! hélas!
Ô mes pauvres petites brebis!
Ô mon pauvre petit bélier!
Vaï!!!
Je vous en supplie, Panagia, punissez les voleurs!—Ah! qu'on les arrête, qu'on les désarme au milieu de leur caverne, eux et toute leur race!

Hélas! hélas! hélas!
Ô mes pauvres petites brebis!
Ô mes pauvres petits chevreaux!
Vaï!!!

Ah! si la Panagia me l'accorde par sa grâce, et punit les voleurs, et que je revoie mon bélier au milieu de son parc, je rôtirai un agneau le jour de Pâques, jusqu'à ce qu'il tombe de la broche.

Mais ils s'en vont, s'en vont, s'en vont!
Hélas! hélas! hélas!
Ô mes pauvres petites brebis!
Ô mon pauvre petit bélier!
Vaï!!!

COMMENTAIRE.

«C'est toute une idylle que cette plainte du pauvre petit berger de la montagne. Que de grâce et de naturel! On l'entend pleurer en chantant.

«Ce Vaï, qui revient à la fin de chaque couplet, comme un sanglot, est-il un mot grec ou étranger, une interjection improvisée, un dérivé du grec ancien οναï, ou bien une construction du verbe grec moderne βαγΐζειν, vagir comme les enfants? C'est ce que je ne saurais dire; mais ce Vaï se comprend et se répète même quand on ne peut l'expliquer: c'est un cri de détresse jeté aux échos comme la dernière note prolongée d'un chant montagnard.

«Je montais un soir la colline du couvent de Saint-Nicolas, dans l'île de Prinkico, lisant, apprenant ou commentant l'Odyssée, mon livre favori; et, suivant une coutume de ma jeunesse qui m'est restée, m'arrêtant à chaque vers comme à chaque détour du sentier, pour cueillir les glaïeuls, les asphodèles et les premières églantines.

«Je m'étais déjà retourné mainte fois dans ma lente ascension, pour admirer ces merveilleux aspects qui s'étendent des montagnes de la Thrace et de l'Asie Mineure, des murs du sérail et des rivages de Chalcédoine, s'avançant sur leurs flancs et à leur ombre jusqu'aux rivages plus rapprochés de Calki et d'Antigone, fermant ainsi le cercle du lac le plus vaste et le plus azuré.

«J'avais compté les voiles du golfe de Nicomédie, se dirigeant vers les ports de Stamboul, et venant raser les écueils des îles des Princes pour y chercher quelque brise de terre favorable à la navigation, lorsque je rencontrai un enfant qui revenait de l'école du monastère, portant sous son bras son panier de provisions, et ses livres de l'autre.

«À ma prière, il s'arrêta et me suivit sous un ébène voisin de la route: là, j'ouvris un de ses cahiers, où je trouvai copiés des passages d'Homère, des fables d'Ésope, et sur une feuille détachée, parmi les distiques modernes, cette chanson populaire, les Voleurs, qu'il récita en riant lui-même des plaintes du pauvre berger. Je lui demandai s'il consentirait à s'en priver pour moi: il me l'offrit sans hésiter, assurant qu'il la savait tout entière, et que d'ailleurs plusieurs de ses petits camarades la savaient aussi.

«Comme l'entretien se prolongeait, je le priai de lire à son choix quelques lignes de son bagage élémentaire. Alors il prononça gravement et d'une voix haute ces deux vers de l'Iliade qu'on venait de lui donner à apprendre et à méditer pour sa leçon du lendemain:

Ἀτρείδη, μή ψεύδε' ἐπιστάμενος σάφα εἰπεῖν,
Οὐ γάρ ἐπί ψεύδεσσι πατὴρ Ζευς ἔσσετ' ἀρωγός.

«Fils d'Atrée, ne mentez pas, vous qui savez si bien dire la vérité.—Car Dieu, notre père, ne sera jamais le soutien du mensonge.»

«Et mon jeune lecteur, en épelant ces vers, se reprit, comme s'il eût été devant le pédagogue, pour me faire sentir l'accent du mot ψεύδεσσι, mensonge, sur lequel d'abord il n'avait pas assez appuyé.

«Émerveillé d'entendre retentir si mélodieusement la langue antique dans une bouche enfantine, je déposai quelques petites pièces de monnaie dans le panier vide; et l'écolier, après avoir porté une main à ses lèvres et à son front, s'éloigna en me disant: Que vos années soient nombreuses! Puis il se retourna souvent pour me regarder, jusqu'à ce que les arbres de la colline nous eussent dérobés l'un à l'autre, et pour toujours.»

LA BELLE DE SCIO.

«Au pied de la colline, à la lueur de la lune, dans le silence de la solitude et le calme de la mer, une belle est assise sur un petit banc de pierre, et tient sur ses genoux un petit chien.

«Elle accompagne son chant de sa guitare et fait entendre une voix angélique. Oh! que ne suis-je ta guitare! Que ne suis-je ton petit chien! Que ne suis-je, oh! que ne suis-je surtout ton amant aimé!

COMMENTAIRE.

«Je vois encore dans le miroir de ma mémoire, si fidèle pour les images helléniques, ce petit tableau tel qu'il m'est apparu à Scio.

«Aux rayons de la lune, qui répand une si douce lueur dans ces régions asiatiques, aux derniers bruits que la mer apaisée jette sur la plage, les filles de Scio venaient, sur le banc de pierre dressé à la porte de leur maison, écouter les plaintes et les déclarations d'amour des jeunes hommes, quelquefois mêler leurs voix aux chants passionnés, au son du téorbe ou de la mandoline. Or cette chanson n'est qu'un des soupirs recueillis au milieu de ces coutumes qui proclamaient au loin l'antique réputation d'innocence attribuée, à toutes les époques, aux belles habitantes de l'île devenue si misérable.»

Il faudrait lire encore la complainte des blanchisseuses qui lavent le châle et la veste de l'étranger, pour qu'à son retour dans sa patrie, la mère et les sœurs n'accusent pas les filles de l'île de dureté et de parcimonie envers le pauvre matelot!

XIX.

Tout cela n'est pas sublime, sans doute, mais c'est naïf et touchant.

Quand les chants populaires ne sont pas composés à froid par des poëtes politiques, ils ne sont jamais sublimes; le peuple ne l'est pas, mais il est peuple, c'est-à-dire nature.

C'est le caractère vrai des traductions de M. de Marcellus. Il ne faut pas y chercher des essences dans les bouquets de fleurs des montagnes, mais de la rosée matinale et des senteurs des champs. C'est ce qu'on trouve dans ce recueil.

XX.

Mais, à mesure que M. de Marcellus avançait en âge, il s'élevait plus haut que ses travaux pittoresques sur la Grèce moderne et populaire. L'âme totalement dégagée de l'esprit de parti, et se remettant entièrement à la Providence du sort de sa cause, il se contentait de rester fidèle pour lui-même, et ne s'inquiétait plus des fidélités ou des infidélités des autres. Il vivait hors du monde des événements; et se plongeait de plus en plus dans les études et dans les spéculations de la haute philosophie de l'ancienne Grèce.

C'est alors qu'il publia ses six volumes de la traduction de Nonnos, travail obstiné, mais malheureux. Qu'importait au monde actuel un poëme épique de plus sur les exploits de Bacchus, chanté après coup par un Grec chrétien, comme un écho mort que chanterait une croyance finie? Travail pour l'Académie des inscriptions plus que pour son temps.

Mais, peu d'années avant sa mort, il s'éleva, comme helléniste, comme savant et comme poëte, à des œuvres plus utiles et infiniment plus belles que tout ce qu'il avait fait jusque-là en littérature. Nous voulons parler de son dernier ouvrage, à peine publié, non encore connu, saisi par la mort sur le seuil de sa publicité: les Grecs anciens et les Grecs modernes; ouvrage très-neuf, très-original et très-philosophique en même temps que très-poétique; trésor véritable découvert par lui dans les littératures presque fabuleuses de l'arrière-Grèce.

Le premier morceau de ce beau recueil, exhumé du mont Athos, de l'île savante de Rhodes, des mystères de la Thrace, c'est le poëme de Médée et Nausicaé sur le Bosphore, par Apollonius de Rhodes, auteur argonautique.

ENTRETIEN LXXIX

MÉDÉE ET NAUSICAÉ
SUR LE BOSPHORE.

(SCÈNE ORIENTALE.)

«Un jour de septembre, du haut de ma fenêtre, dans le pavillon de bois où flottait à Thérapia le pavillon de France, je considérais les brouillards qui s'élevaient insensiblement de la surface du Bosphore. On les voyait glisser sur les eaux comme des fumées transparentes, puis se condenser au-dessus, et s'arrêter immobiles à la moitié des collines du détroit; de sorte que par-dessous leur couche épaisse j'apercevais en Asie la base de la montagne du Géant, dont la cime semblait s'unir à l'Europe par un pont de nuages argentés. Ces nuages fermaient au loin l'entrée de la mer Noire, qu'on entrevoit de Thérapia par une courte échappée; et leur ceinture, jointe au calme des ondes, faisait de cet espace, le plus resserré du Bosphore, l'image parfaite d'un petit lac.

«Je connaissais cette disposition atmosphérique du canal de Thrace, et je savais que le soleil en se montrant ne tarderait pas à dissiper ces brumes qui n'osaient s'attrouper qu'en son absence. Dès qu'il parut, je descendis sur la rive et je me dirigeai le long du fleuve amer, marchant moins vite que ses courants. Je voulais suivre les contours de la plage jusqu'au petit promontoire de Kalender pour revenir par les hauteurs désertes, en remontant le ruisseau qui prend sa source à Krio-Nero, la fontaine froide.

«Les bruits de ces villages, qui sont autant de ports, s'éveillaient; les voix des caïdgis (bateliers) se mêlaient aux cris des goëlands; le brouillard avait laissé sur chaque feuille une goutte de rosée qui étincelait au soleil; ma promenade fut délicieuse, et je revins chargé de touffes de bruyères, de daphnés et de cistes fleurissant d'eux-mêmes au sein de ces solitudes qui touchent de si près au rivage.

«Comme je tournais le fond du petit golfe de Thérapia, je rencontrai Athanase Christopoulos, le poëte si célèbre déjà par ses chants anacréontiques. J'apprenais alors ses odes pour me familiariser avec le grec moderne, et je recherchais sa conversation, qui n'était jamais sans profit pour moi. Il se rendait chez l'un de ces mêmes princes Morusi dont il avait dirigé l'éducation en Moldavie.

«—Quoi! de si bonne heure? me dit-il, quel intérêt vous amène dans notre quartier grec?

«—Pas d'autre, répondis-je, que le beau temps et le plaisir de voir Kalender.

«—Je ne puis vous suivre, reprit-il, jusqu'à ce bon abri; car je me figure qu'il faut interpréter ainsi le nom de Kalender, souillé vers sa fin d'une terminaison turque. C'est le kalos endios dont nous parlent les vieux géographes du Bosphore. Mais je veux au moins animer le début de votre promenade par quelques souvenirs antiques. C'est ici l'ancien golfe de Pharmakia, où l'on dit que Médée, partie de la Colchide, déposa des poisons, en y laissant leur nom. Mais nous, Grecs modernes, nous n'avons pas consenti à traduire avec si peu de politesse envers la fille des rois ce mot de pharmakia: ses poisons étaient des médicaments aussi, et nous avons nommé notre village Thérapia, la guérison.

«Au bout de cette anse profonde que protégent contre les vents du nord la colline et les grands pins de votre palais de France, vous voyez cet îlot ou plutôt cet écueil, si près de la rive qu'on peut l'atteindre sans nager? Les flots, toujours tranquilles ici, ne le surmontent jamais et se contentent de laver et de polir sa roche. Là, dit-on, la nièce de Circé, Médée, broyait les plantes qui endormaient les dragons et rajeunissaient les vieillards.

«Si vous ne deviez m'accuser de prendre en main des causes désespérées, j'aimerais à réhabiliter Médée auprès de mon siècle. On n'a jusqu'ici voulu voir en elle qu'une fougueuse magicienne, une épouse forcenée, une mère barbare. La faute première en est à Euripide, grand ennemi des femmes: pour moi, je m'attache à sa jeunesse, à son unique amour, à sa primitive innocence; sa passion m'attendrit beaucoup plus que celle de Phèdre, car elle est bien moins coupable. Avez-vous lu le troisième chant d'Apollonius de Rhodes?

«—Pas encore, lui répondis-je, mais, comme Homère m'a guidé dans l'Archipel, je comptais prier les Argonautes de me conduire dans le canal de Thrace, théâtre de leurs exploits.

«—Eh bien, reprit-il en souriant, si les affaires de l'Europe, un peu confuses ici, ou si les soupirs de l'empire turc qui croule vous laissaient demain autant de loisirs qu'aujourd'hui, nous pourrions lire ensemble ce touchant épisode de Médée avec votre ami, le prince Nicolaki Morusi, et je vous attendrai chez lui.

«—J'y serai, lui dis-je, mais n'espérez pas m'amener facilement à aimer Médée. Un de ces grands poëtes latins que vous n'estimez qu'à moitié, vous, fiers descendants d'Homère et de Pindare, a prononcé cette sentence: Il faut que Médée soit féroce ou indomptée..... Je m'en tiens là...

«—À demain, à demain! reprit Christopoulos, point de jugement arrêté d'avance. Et, puisque vous êtes en Grèce, n'en croyez sur leurs héros ou leurs héroïnes que les Grecs.»

«Là-dessus, nous nous quittâmes, et le lendemain je le rejoignis chez le Beyzadé Nicolaki Morusi.

XXI.

«—Je connais d'avance le sujet de votre visite, me dit le prince. Cette Médée, redoutable patronne de notre village, fait encore trembler nos femmes du peuple sous la terreur de ses noirs enchantements; voyons comment va s'y prendre notre maître pour nous inspirer envers elle des sentiments plus doux.

«—Il ne me faudra pour ce miracle, interrompit Christopoulos en prenant son livre, rien autre chose que vous lire ce qu'en dit le chantre des Argonautes.

«—Pour nous mieux pénétrer de la bonté de votre cause, ajoutai-je, ne trouverez-vous pas à propos de prononcer lentement, de vous arrêter de temps à autre, et même de traduire quelquefois en passant, comme si ce que vous lisez ne devait pas toujours parvenir du premier coup à l'intelligence de votre auditoire?

«—Je vous comprends, me répondit en souriant le poëte, et je vous obéirai.

«—Mais d'abord, quelques mots de préambule, nous dit alors notre prudent lecteur, pour vous expliquer où nous allons prendre le récit. Je fais comme si vous n'aviez jamais su la marche du poëme, ou plutôt comme si vous aviez oublié ces étranges aventures datant de trois mille années, pour prêter votre mémoire à des faits plus récents.

«Il entre beaucoup de généalogie dans toute histoire mythologique. Je ne vous ferai pas néanmoins remonter plus haut que l'arrière-grand-père de notre héros. Éole, non pas le fougueux roi des vents, mais un autre Éole, roi d'une contrée de Thessalie, eut deux fils: Créthée, père d'Æson et de Pélias, puis

Athamas, père de Phryxos et d'Hellé; je vous fais grâce du reste de la descendance, qui, si j'allais plus loin, s'étendrait facilement jusqu'à Ulysse. À la mort de Créthée, Pélias usurpa le trône d'Iolchos au détriment d'Æson, son frère aîné; et quand Jason, fils d'Æson, revendiqua la couronne, son oncle Pélias, avant de la lui rendre, lui imposa la condition de rapporter en Grèce la toison d'or qui se trouvait en Colchide. C'était la dépouille du bélier ailé que Phryxos, fils d'Athamas, y avait consacrée après son voyage aérien. Il fuyait la colère de son père, et dans son trajet il laissa tomber sa sœur Hellé, menacée comme lui par une marâtre, dans le détroit qui porte encore aujourd'hui son nom. Aiète, fils du Soleil et frère de Circé, régnait alors à Colchos. Il accueillit Phryxos, et lui donna pour épouse Chalciope, sa fille aînée, sœur de Médée. Phryxos mort, ses fils partirent pour aller réclamer en Grèce l'héritage de leur père et pour le venger.

«Ils firent naufrage dans l'Euxin, sur l'île de Mars, et en furent ramenés par les Argonautes. Ceux-ci, commandés par Jason, ont surmonté les écueils des Cyanées, les périls d'une mer inconnue, et sont arrivés à l'embouchure du Phase, auprès de la ville d'Aia, capitale du royaume d'Aiète. C'est là que les deux premiers livres du poëme d'Apollonius de Rhodes les ont conduits; voici le troisième.

«Christopoulos lut alors d'une voix cadencée ces vers qui dans sa bouche recevaient du rhythme et de l'harmonieux idiome un charme inexprimable. Pour plus de sûreté, il m'avait engagé à suivre sa lecture sur mon exemplaire, où je notais au crayon ses pauses et ses remarques. Plus tard, ces notes m'ont rendu mes souvenirs, et je les retrace ici, en substituant aux texte grec ma traduction, où je l'ai suivi d'aussi près qu'il m'a été possible.»

XXII.

J'ai écrit une Médée dans ma première jeunesse; elle est encore enfouie dans les caisses de mon grenier, où les voyageurs de la vie enferment leurs hardes usées qui n'en sortiront jamais que pour faire du vieux papier pour des hommes nouveaux.

M. Legouvé, un de nos plus charmants poëtes, en a écrit une infiniment supérieure, pour que la belle tragédienne, madame Ristori, épanchât en italien de Montanelli les plaintes de l'héroïne si dévouée et si abandonnée. Que de notes naïves, tendres, pathétiques, n'a-t-elle pas ajoutées à ses notes tragiques!

XXIII.

«Après cette lecture des fragments d'Apollonius de Rhodes, qui ont charmé tout le petit auditoire grec par les peintures les plus délicates d'un amour naissant, de la pitié entre deux amants, la controverse s'établit entre les auditeurs sur la prééminence d'Homère ou d'Apollonius. On hésite, et il y a de quoi.

«Mais Manos se lève, se dirige vers quelques tablettes suspendues à la muraille et saisit l'Odyssée. «Écoutez-moi à mon tour, dit-il, et oubliez ce que vous venez d'entendre!» Puis, se tournant vers moi, dit M. de Marcellus, il ajoute: «Les sentiments sont si naturels, le sens si clair, que celui de nous qui n'a pas appris le grec en naissant n'a nul besoin d'interprète. Il s'agit de Nausicaé, fille du roi Alcinoüs. Ulysse, jeté sur cette île par la tempête et accablé de lassitude, est couché sur des feuilles sèches, à l'abri des roseaux, au bord du fleuve qui se jette dans la mer.»

«Alors, continue M. de Marcellus, le vieillard Manos, aux cheveux blancs et à la longue barbe, vêtu de cette robe orientale qui fait partie du costume grec à Constantinople, se redresse sur le divan où nous restons accoudés.»

Lamartine.

(La suite, au mois prochain.)

LXXXe ENTRETIEN.

ŒUVRES DIVERSES DE M. DE MARCELLUS

(TROISIÈME PARTIE)
ET
ADOLPHE DUMAS.

I.

«Bientôt l'aurore qui s'avance sur son char magnifique a réveillé Nausicaé aux superbes voiles. Elle s'étonne de ce songe et se hâte de traverser ses appartements pour le dire à ses parents, son père chéri et sa mère. Elle les trouve chez eux: l'une est assise auprès du foyer avec les femmes qui la servent, filant sur sa quenouille une laine teinte de la pourpre des mers; elle rencontre l'autre comme il sortait pour se rendre avec ses chefs illustres au conseil où les nobles Phéaciens l'appelaient; elle s'arrête tout près de son père bien-aimé, et lui dit:

«Père chéri, n'allez-vous pas me préparer un char élevé, aux fortes roues, afin que je porte vers le fleuve, pour les laver, les précieux vêtements que j'ai là tout malpropres? Quand vous allez parmi vos chefs faire entendre vos conseils, il vous sied à vous-même d'avoir des habits sans tache; vous avez dans vos palais cinq fils mariés, et trois dans la fleur de la jeunesse. Ceux-ci veulent toujours, pour aller à la danse, des vêtements nouvellement blanchis; et c'est moi que tous ces soins regardent.»

«Elle dit, et évite ainsi de parler à son père bien-aimé du doux mariage, mais il a tout compris et lui répond:

«Certes, ma fille, je ne te refuse ni des mules, ni rien autre chose. Va, et mes serviteurs te prépareront un char élevé, aux fortes roues, et à la caisse large et solide.»

«Après ces mots, il donne ses ordres à ses serviteurs qui obéissent, et amènent au dehors le char aux roues solides, propre aux mules, qu'ils y conduisent et y attellent. La jeune fille apporte de son appartement les habillements magnifiques et les dépose sur le char bien fabriqué. La mère a mis dans une corbeille les aliments de toute sorte pour ranimer les forces; elle y place les vivres et le vin qu'elle a versé dans une outre de peau de chèvre. Puis, comme sa fille monte sur le char, elle lui donne dans une fiole d'or l'huile onctueuse pour s'en purifier, elle et ses compagnes. Nausicaé prend les rênes brillantes et le fouet dont elle frappe pour le départ les deux mules, qui s'élancent bruyamment; elles courent sans s'arrêter et emportent le linge et la jeune fille qui n'est pas seule; car les suivantes vont aussi avec elle.

«Lorsqu'elles sont parvenues au lit merveilleux du fleuve, là où sont les lavoirs pour toute l'année et où surabonde une eau bonne à enlever toutes les souillures, elles détachent les mules et les chassent vers le fleuve impétueux pour s'y repaître d'une herbe savoureuse. Elles enlèvent ensuite du char sur leurs bras les vêtements, les plongent dans l'eau limpide et les foulent dans les réservoirs en luttant de vitesse. Quand elles ont tout lavé et effacé toutes les taches, elles étendent en ordre sur le bord de la mer, là surtout où les flots ont nettoyé les cailloux du rivage. Puis, après s'être baignées et imprégnées d'une huile onctueuse, elles prennent leur repas auprès des rives du fleuve, en attendant que l'ardeur du soleil ait séché le linge. Ensuite, leur faim apaisée, la jeune fille et les suivantes détachent leurs voiles pour jouer au ballon.

«Ici, nous dit M. Manos, nous sommes loin des palais. C'est un tableau de la vie journalière des champs. Qui de vous n'a été témoin de ces bruyantes occupations, de ces repas, de ces jeux après l'ouvrage de nos jeunes femmes occupées du soin de blanchir? On rencontre encore dans nos îles et sur notre continent, près des sources ou des fleuves, ces fosses où l'eau se renouvelait, et où on venait fouler le linge sous les pieds.

«—Oui, sans doute, répondit Christopoulos, et une fois par hasard, à la vue du présent, je suis disposé à regretter notre rustique passé. Cette espèce de danse que du temps des hommes primitifs les laveuses exécutaient dans les fosses limpides, devait être bien autrement gracieuse que leurs incommodes génuflexions d'aujourd'hui auprès d'une eau qui rougit leurs mains et leurs bras.

—«Que le caminari me permette de l'interrompre, reprit M. Manos, et de le ramener bien vite à Homère, dont une noble et sévère comparaison va relever le récit.»

II.

«C'est Nausicaé aux bras blancs qui commande le jeu; telle que Diane, dont les flèches font les délices, elle court à travers les montagnes, soit sur le Taygète escarpé, soit sur l'Érymanthe, à la poursuite des sangliers et des cerfs agiles qui l'amusent; les nymphes des champs, nées de Jupiter porteur de l'égide, partagent ses plaisirs; et le cœur de Latone palpite de joie, car sa fille les dépasse du visage et de la tête; et, bien que toutes soient belles, on distingue aisément la déesse. Ainsi la vierge domine ses compagnes qui ne connaissent pas encore le mariage.

«Mais quand, les mules attelées et les précieux vêtements ployés, il faut retourner à la maison, Minerve invente un autre artifice pour réveiller Ulysse et lui montrer la jeune fille aux beaux yeux qui doit le conduire à la ville des Phéaciens. Comme la reine du jeu lance le ballon à l'une des suivantes, cette suivante le manque, et il tombe dans la profondeur du courant; elles poussent de grands cris, et le divin Ulysse se réveille: il se redresse alors, et dans son esprit et son cœur il raisonne ainsi:

III.

«Hélas! chez quels mortels suis-je encore arrivé? Sont-ils injurieux, sauvages et méchants? ou bien ont-ils des pensées hospitalières et le respect des Dieux?

«Des cris de jeunes femmes sont venus jusqu'à moi; ce sont des nymphes sans doute qui résident sur les hautes cimes des montagnes, aux sources des fleuves et dans les prairies herbeuses et humides. Ou bien serais-je près de mortels à voix humaine? Levons-nous, et essayons nous-même de tout voir.

«À ces mots, le divin Ulysse, en se dégageant des branches, brise de l'effort de sa main dans l'épais taillis un rameau feuillu pour en voiler autour de ses reins sa nudité. Puis il s'avance comme un lion nourri dans les montagnes, confiant en sa force, qui marche battu de la pluie et du vent. Ses yeux étincellent: il s'élance contre les génisses, les brebis ou les biches des forêts. La faim lui ordonne d'attaquer les troupeaux et de pénétrer dans les bergeries les mieux closes. Tel Ulysse, tout nu qu'il est, va au devant des jeunes filles à la belle chevelure, car il le faut; il leur apparaît tout souillé de l'écume de la mer et tout effrayant. Elles s'enfuient de côté et d'autre sur les hauteurs du rivage; seule la fille d'Alcinoüs demeure, car Minerve lui inspire le courage et bannit de son cœur l'effroi. Elle est debout et attend; mais Ulysse délibère: ira-t-il en suppliant toucher les genoux de la jeune fille aux beaux yeux, ou la suppliera-t-il de loin, par des paroles persuasives, de lui donner des vêtements et de lui montrer la ville? Dans ces pensées, il lui semble préférable de la supplier de loin, de peur qu'il n'excite la colère de la jeune fille en touchant ses genoux. Il lui adresse aussitôt ce discours adroit et plein de douceur.

IV.

«Ô reine! je me jette à tes pieds, que tu sois déesse ou mortelle: si tu es l'une de ces divinités qui résident dans le ciel immense, je ne saurais te comparer, pour la taille, la forme et la beauté, qu'à Diane, la fille du grand Jupiter; et si tu es l'une de ces mortelles qui habitent sur la terre, ô trois fois bienheureux ton père et ta mère vénérables; trois fois bienheureux tes frères!

«Certes, leur cœur, grâce à toi, s'épanouit sans cesse de joie quand ils voient une telle fleur entrer dans le chœur des danses; mais plus heureux encore que tous les autres au fond de son âme celui qui, l'emportant par les dons du mariage, t'amènera dans sa demeure. Jamais de mes yeux je n'aperçus une personne semblable, ni parmi les hommes, ni parmi les femmes, et une respectueuse admiration me saisit à ton aspect.

«Ainsi jadis, à Délos, auprès de l'autel d'Apollon, j'ai vu la tige grandissante d'un jeune palmier. Suivi d'un peuple nombreux, j'avais fait ce voyage qui devait m'apporter bien des malheurs. À la vue de cet arbre, je demeurai longtemps stupéfait, car jamais la terre n'en produisit de pareil. Femme, c'est ainsi que je te contemple, t'admire et que j'ai tremblé de toucher tes genoux, car j'éprouve des douleurs cruelles. Hier était le vingtième jour où je fuyais sur une mer ténébreuse, et toujours le flot et de violents orages m'ont emporté depuis mon départ de l'île d'Ogygie. Enfin, maintenant une divinité me jette ici pour y subir peut-être de nouvelles infortunes; car je pense qu'elles ne vont pas cesser, mais bien plutôt que les dieux les multiplieront encore.

«Ô reine, sois compatissante; après tant de souffrances que je viens de subir, tu es la première que j'approche, et je ne connais aucun autre des hommes qui habitent la ville ou le pays. Montre-moi donc la cité.

«Donne-moi, pour m'en entourer, quelque haillon ou quelque enveloppe du linge si tu en as apporté en venant ici, et que les dieux t'accordent tout ce que peut souhaiter ton âme; qu'ils te donnent un mari, une maison, et la concorde si précieuse; car rien n'est plus désirable et meilleur qu'un ménage où l'époux et l'épouse mettent en commun leurs pensées pour le diriger. C'est un vif chagrin pour leurs ennemis, pour leurs amis une grande joie, et pour eux-mêmes surtout une bonne renommée.»

V.

«Nausicaé aux bras blancs lui répondit ainsi:

«Étranger, certes tu ne ressembles ni à un méchant ni à un homme sans intelligence. C'est Jupiter lui-même, le maître de l'Olympe, qui dispense le bonheur aux mortels, aux bons et aux mauvais à son gré. Ce qu'il te donne, il te faut bien le supporter. Mais maintenant que tu as atteint notre territoire et notre pays, tu ne manqueras ni de vêtements, ni de toutes les choses qu'il convient d'offrir à un infortuné qui vient de loin et supplie: je t'enseignerai la cité, et je vais te dire le nom de ses habitants. Ce sont les Phéaciens qui possèdent cette ville et cette terre; et moi, je suis la fille du magnanime Alcinoüs qui reçoit des Phéaciens la force et la puissance.»

«Elle dit, et donne ses ordres à ses suivantes aux beaux cheveux:

«Arrêtez-vous, mes compagnes; pourquoi fuyez-vous à la vue d'un homme? Pensez-vous que ce soit quelque ennemi? Le mortel n'est pas encore né et ne naîtra pas qui oserait venir dans les États des Phéaciens pour y apporter la guerre, car ils sont chéris des dieux, et nous habitons à l'écart, les derniers, au sein des ondes écumeuses et immenses. Mais puisque ce malheureux nous arrive égaré, il en faut avoir soin, car c'est de Jupiter que viennent tous les étrangers et les pauvres; le don le plus léger leur est cher. Donnez donc, ô mes compagnes, à boire et à manger à notre hôte, et baignez-le dans le fleuve, là où est un abri contre le vent.»

«À ces mots, elles s'arrêtent et s'encouragent entre elles; puis elles conduisent Ulysse vers l'abri, comme le veut la fille du magnanime Alcinoüs: elles déposent ensuite tout près de lui des vêtements, un manteau et une tunique, lui donnent dans la fiole d'or l'huile onctueuse, et l'engagent à se baigner dans le courant du fleuve; mais alors le divin Ulysse leur parle ainsi:

«Femmes suivantes, tenez-vous loin de moi, pendant que je laverai moi-même l'écume de la mer sur mes épaules et répandrai l'huile sur mon corps: il y a longtemps qu'il est privé de toute onction; mais je ne me baignerai point devant vous, car j'ai honte de me dépouiller en présence de jeunes filles aux beaux cheveux.»

«Celles-ci s'éloignent à ces paroles qu'elles rapportent à Nausicaé. Aussitôt le divin Ulysse, à l'aide du fleuve, dégage ses membres de l'écume de la mer qui recouvrait ses reins et ses larges épaules; il essuie sur sa tête les souillures des flots indomptés, et, après s'être baigné en entier et imprégné d'huile, il s'enveloppe des vêtements que vient de lui donner la vierge qui ne connaît pas le mariage. La fille de Jupiter, Minerve, lui prête un aspect plus grand et plus robuste, elle fait tomber de sa tête en boucles sa chevelure pareille à la fleur de l'hyacinthe; et, comme un habile ouvrier à qui Vulcain et Pallas-Minerve ont enseigné la diversité de leur art, mêle l'or à l'argent pour en perfectionner les œuvres charmantes, ainsi la déesse a répandu la grâce sur la tête et les épaules d'Ulysse: bientôt il va s'asseoir à l'écart sur le rivage de la mer, resplendissant de grâce et de beauté. La jeune fille le contemple, et dit alors à ses suivantes à la belle chevelure:

«Ô mes compagnes, écoutez ce que je vais vous dire. Ce n'est point sans l'aveu de tous les dieux habitant l'Olympe que cet homme vient se mêler aux Phéaciens pareils aux immortels. Car d'abord son aspect était désagréable, et maintenant il égale les divinités qui résident dans l'immensité des cieux. Ah! si un tel époux m'était réservé, qu'il habitât ici, et qu'il lui plût d'y rester!... Mais, ô mes compagnes, donnez à manger et à boire à notre hôte.»

«Elle dit, et ses suivantes qui l'écoutent s'empressent de lui obéir. Elles déposent auprès du héros les aliments, le breuvage; et le divin Ulysse, après avoir supporté tant de maux, mangeait et buvait avidement, car depuis longtemps il était reste sans nourriture.

VI.

«Cependant Nausicaé aux bras blancs s'occupe d'un autre soin; après avoir placé sur le beau char les vêtements qu'elle a reployés, elle y attelle les mules au pied vigoureux, y monte, et adresse à Ulysse, en l'interpellant, ces engageantes paroles:

«Étranger, lève-toi maintenant pour aller à la ville, où je te dirigerai vers le palais de mon père, le sage héros. C'est là, je pense, que tu trouveras l'élite des Phéaciens. Mais fais comme je vais te dire; car tu ne me parais pas dépourvu de prudence.

«Tant que nous traverserons les champs et les travaux des hommes, marche rapidement, avec mes suivantes, derrière les mules et le char. Mais quand nous serons près de la ville qu'entourent un mur élevé et, des deux côtés, un beau port, l'entrée devient étroite. Les navires à doubles rames y sont retirés sur la voie, car tous y ont une place marquée pour chacun. C'est là aussi, autour du bel autel de Neptune, qu'est la place publique, formée de pierres de taille profondément enfoncées qu'il a fallu y apporter; et c'est encore là que se préparent les agrès des noirs navires, leurs amarres, leurs câbles, et que se polissent les avirons. Les Phéaciens ne se soucient ni de l'arc ni du carquois; mais des voiles, des rames et des plus grands vaisseaux sur lesquels ils traversent fièrement les mers blanchissantes.

«Je veux éviter leurs mordants propos, et, derrière moi, leurs railleries; car chez le peuple il y a bien des insolents: et quelqu'un des plus vils qui nous aurait rencontrés ne manquerait pas de dire: «Quel est donc ce fier et bel étranger qui suit Nausicaé? Où l'a-t-elle trouvé? Sans doute il sera son époux. Elle aura recueilli ce vagabond hors de son vaisseau: un homme des pays éloignés, puisque nous n'avons pas de voisins. C'est peut-être quelque dieu ardemment imploré qui sera venu à ses prières et descendu du ciel, et elle veut l'avoir toute sa vie. Elle a mieux fait d'aller chercher elle-même un mari hors de chez nous, puisqu'elle méprise les Phéaciens qui la recherchent et qui sont pourtant nombreux et braves.» Voilà ce qu'ils diraient, et ces paroles me seraient injurieuses. Je blâmerais moi-même toute autre qui agirait ainsi, et qui, du vivant de son père et de sa mère chéris, se mêlerait sans leur consentement à la société des hommes, avant le jour de son mariage public.

«Étranger, observe bien mes recommandations, afin que tu obtiennes promptement de mon père qu'il t'envoie dans ta patrie. Nous rencontrerons près de la route un superbe bois de peupliers consacré à Minerve. Une source y coule, et une prairie l'environne; là sont l'enclos de mon père et son verger florissant, aussi loin de la ville que la voix peut s'en faire entendre. C'est là que tu t'assoiras pour y rester tout le temps que nous mettrons à gagner la cité et à arriver au palais de mon père.

«Quand tu jugeras que nous les aurons atteints, alors dirige-toi vers la ville, et demande la demeure de mon père, le magnanime Alcinoüs. Elle est facile à reconnaître, un enfant en bas âge y conduirait, car les maisons des Phéaciens ne ressemblent nullement à l'habitation d'Alcinoüs le héros. Quand tu auras pénétré dans sa demeure et dans sa cour, traverse rapidement le palais pour parvenir à ma mère. Elle est assise au foyer, appuyée contre une colonne, filant sur sa quenouille, à la clarté du feu, une laine teinte d'une pourpre merveilleuse à voir; derrière elle sont ses servantes; tout auprès se dresse le trône de mon père, où il boit le vin et siége comme un immortel. Va plus loin que lui, et jette tes bras autour des genoux de ma mère, afin de voir l'heureux jour du retour, quelque lointain que soit ton pays. Si son cœur t'accueille avec bienveillance, espère alors voir tes amis et retourner dans ton élégante maison et dans ta patrie.»

VII.

«Après ces paroles, elle frappe du fouet brillant les mules, qui abandonnent bientôt les bords du fleuve; elles courent, et battent le sol de leurs pieds alternatifs. Nausicaé les conduit en usant adroitement du fouet, de telle sorte qu'Ulysse et ses compagnes, qui sont à pied, les puissent suivre. Le soleil baissait quand ils atteignirent le bois renommé consacré à Minerve. Là, le divin Ulysse s'assoit et implore aussitôt la fille du grand Jupiter.

«Écoute-moi, fille invincible du dieu qui tient l'égide, exauce-moi, maintenant du moins, puisque tu ne m'as pas exaucé lorsque, ballotté sur les ondes, j'étais le jouet du furieux Neptune; et fais que j'inspire aux Phéaciens la bienveillance et la pitié.

«Il dit, Minerve l'entend; mais elle ne se manifeste pas aux regards du héros, car elle redoute le frère de son père Neptune, dont le courroux violent persécutait le divin Ulysse jusqu'à ce qu'il eût retrouvé son pays.»

Je n'oublierai jamais quelle noblesse et quels accents M. Manos sut donner à sa voix en psalmodiant ces vers d'Homère.»

VIII.

Dans Cérès à Éleusis, scène orientale, les mystères du paganisme transcendant sont décrits et sondés avec autant de poésie que d'érudition;

Puis dans Orphée en Thrace, morceau de haute philosophie religieuse dédié à M. de Lamartine, et dont je ne recueillis l'hommage amical que sur son tombeau.

Cette scène orientale commence cette réminiscence de nos jeunes années et de nos premiers voyages.

Qu'on me permette de la citer ici, en rejetant sur le compte de l'amitié tout ce qui m'élève à la hauteur d'Homère et d'Orphée, mais en ne rejetant rien de mon enthousiasme croissant avec les années pour Homère.

ORPHÉE EN THRACE.

**À M. DE LAMARTINE,
À SAINT-POINT.**

SCÈNE ORIENTALE.

«J'achève, mon cher ami, de lire l'idylle antique que vous avez intitulée Homère; et je me hâte de vous remercier de tout le plaisir que j'ai eu à reporter avec vous mes pensées vers ce bel Orient, où l'image et les œuvres prétendues du chantre primitif ne m'ont jamais quitté.

«C'était bien à vous, poëte par nature, et civilisateur par votre nouvel écrit, qu'il appartenait de déposer encore une couronne sur la tombe d'un poëte, civilisateur des temps antiques, tombe perdue comme son berceau dans l'obscurité des âges.

«C'était à vous de nous expliquer le génie, devancier et dominateur des autres génies, le premier de ces révélateurs des passions de l'âme, et le plus parfait de ces consolateurs de l'infortune, à qui fut donnée la mission sublime de rappeler le genre humain à l'exécution des lois, car les poëtes des premiers âges en étaient les hérauts publics comme les plus habiles interprètes.

«Conseillers religieux et héroïques, qui se chargeaient de ramener au culte des devoirs, d'attiser le courage, d'adoucir les coutumes, de compatir au malheur, enfin d'apprivoiser pour ainsi dire, par des sons harmonieux, les oreilles inexpérimentées et sauvages encore!

«J'aime à vous voir évoquer sous nos yeux la grande ligure du poëte créateur qui enchanta ma jeunesse, et me guida dans l'Orient au vif éclat de sa lumière; j'aime également à retrouver dans son dernier historien la voix du chantre de ces Méditations qui, dès leur berceau, m'apparurent sous le même ciel, et m'apportèrent, aux rives de Scio et de Smyrne, de douces et mélancoliques jouissances. Déjà, vous le savez, je me plaisais à réunir dans ma mémoire, comme ils l'étaient dans mon portefeuille oriental, les plus antiques et les plus modernes accents des muses bienfaitrices de l'humanité.

«Parmi les ombres mythologiques groupées autour d'Homère, vous avez nommé Orphée, et cité quelques lignes de mes Épisodes littéraires. C'en est-il assez pour m'autoriser à placer ma légende populaire du réformateur de la Thrace sous la protection de votre chronique du chantre de Méonie?

«Quoi qu'il en soit, le nom d'Orphée a mérité de briller sur ces monuments que vous érigez pour le peuple à la mémoire de ses meilleurs amis. Virgile, qui lui doit sa plus touchante inspiration, après nous avoir attendris au récit de l'amour unique et fidèle d'Orphée, nous le montre dans cette autre vie que son génie religieux et poétique révéla, et le place au premier rang des âmes sages et heureuses qui ont emporté sur les rives, éternellement paisibles, de l'Élysée, les bénédictions de la terre.

Quique suî memores alios fecere merendo.

IX.

«À tous ces titres, la traduction d'Orphée, consacrée par les annales grecques, doit tenir sa place dans la reconnaissance universelle, puisqu'elle est le plus ancien témoignage de l'admiration des siècles pour la poésie et de son influence sur la civilisation.

«Vos tableaux de l'Orient, animés des couleurs de votre inépuisable palette, m'ont ramené, comme au temps de mes jeunes années, vers les rives du fleuve où Crithéis mit au jour le divin prodige; vers ce Mélès qui m'a laissé apercevoir à peine quelques gouttes d'une eau limpide, arrêtée par les joncs et les cailloux de son lit; puis sur ce siége d'Homère, où je me suis arrêté en récitant ses vers; cette École du poëte, autrefois l'honneur de Chios, maintenant colline abandonnée, témoin de l'incendie des flottes ottomanes et des désastres de 1823. Elle entend toujours, dans ces mêmes parages, murmurer à ses pieds la fontaine du pacha, et elle ne domine encore que des ondes asservies: enfin, vous me rappelez ce rocher de l'île de Nio, dont les vagues viennent battre et blanchir les écueils; abri solitaire d'où s'exhala la grande âme du poëte mendiant, le plus merveilleux type humain du pouvoir inventeur.

«Mais je n'ai pas visité seulement cette région de l'Asie, semée de tant de vestiges des histoires antiques et des vicissitudes modernes, où le tumulte des populations pressées et les voluptés de la molle Ionie ont fait place aux déserts. J'ai parcouru aussi ces contrées que l'heureuse Grèce stigmatisait du nom de Barbares, dont elle redoutait le voisinage et répudiait le climat, parce que le soleil n'y envoie que des rayons tempérés, et que quelque neige y blanchit la cime des montagnes.

«J'ai traversé ces champs de la Thrace, incultes et délaissés aujourd'hui, où Orphée essaya de régner en philosophe après son père, le roi Œagre: hérédité incertaine, que les âges ont effacée à demi pour y substituer une filiation surnaturelle. Le premier chantre du monde pouvait-il, en effet, naître d'une autre origine que de l'union d'Apollon, le dieu des vers, avec la muse à la belle voix, Calliope?

«J'ai contemplé les grands rochers de l'Hémus, qui s'agitaient en cadence à la voix d'Orphée; j'ai interrogé ces échos, toujours muets maintenant, qui, après avoir répété ses accords, redirent les cris furieux de ses sanguinaires ennemis.

«Je puis bien l'avouer au peintre si chaste et si passionné de Raphaël, ce premier exemple de l'amour fidèle donné dans l'enfance du monde au milieu de la corruption générale des hommes, et des scandales de leurs fictives divinités, parlait à ma raison comme à mon cœur. Grand à mes yeux par son génie législateur et poétique, Orphée me semblait plus grand encore par la sainteté de sa vie et par la constance de son amour. Il avait su mieux que Platon, et bien auparavant, affranchir l'âme des liens des sens que le paganisme déifiait. C'est elle qu'il nommait la douce fille de Dieu, et il l'ennoblissait d'avance, quand une religion plus consolante devait un jour la purifier en l'immortalisant.»

X.

Puis M. de Marcellus déchire le voile et traduit cette sublime définition de Dieu.

«Je parle pour les initiés; fermez les portes sur les profanes, tous ensemble; mais toi, ô Musée, descendant de la lune illuminatrice, écoute-moi, car je dis la vérité, afin que les anciennes croyances de ton esprit n'aillent pas te priver de la vie heureuse. Médite la parole divine, ne la perds jamais de vue; dirige vers elle toute la force intellectuelle de l'âme. Avance résolument dans cette voie, les yeux uniquement fixés sur l'Éternel qui a formé le monde; le voici tel que la parole l'a jadis représenté.

«Il est le seul créé par lui-même, et il est aussi créateur de toute chose; dans ce tout il se meut. Personne ne le voit, l'âme des mortels le conçoit par la pensée; il fait rapidement, chez les hommes, succéder au bonheur l'infortune. La joie et la haine le suivent, comme la guerre, la peste, les chagrins et les larmes. Il n'est point d'autre que lui; et tu verrais aisément tout le reste si tu l'avais vu lui-même; mais auparavant je veux te montrer ici-bas, ô mon fils! comment je reconnais les traces de la main puissante du Dieu fort.

«Je ne vois pas sa personne, car un nuage se dresse autour de lui; c'est ainsi qu'il se dérobe à mes yeux comme à tous les humains, et nul des mortels n'a vu jamais le souverain maître, si ce n'est, parmi les Chadéens, l'unique rejeton d'une race venue d'en haut.

«Dans sa prévoyance il commande à cet astre qui seul préside le mouvement de la sphère autour du globe, et s'arrondit en tournant sur son axe propre.

«Il dirige les vents au milieu des airs, comme sur les courants des ondes, et fait étinceler l'éclair de feu né dans l'espace.

«Au haut des cieux, il demeure inébranlable sur son trône d'or. La terre est son marchepied. Il étend sa droite jusqu'aux confins de l'Océan. À sa colère les montagnes tremblent dans leurs fondements, et ne peuvent soutenir son effort puissant.

«Ce dominateur des cieux est partout, et il accomplit tout ce qui se fait sur la terre, lui qui est à la fois le commencement, le milieu et la fin.

«Ainsi les anciens en parlent. Ainsi l'a déclaré le Fils du Nil, qui reçut de Dieu lui-même les préceptes de la double table des lois[2].

«Il n'est pas permis de dire autrement, et je me sens frémir dans tous mes membres quand je viens à penser que tout à la fois et à tout commande ce souverain.

«Mais, ô toi! mon fils, recueille tes pensées, gouverne sagement ta langue, et garde ta voix au fond de ton cœur.

«Telles étaient, mon cher ami, les grandes idées religieuses émanées du culte de Jéhova bien plus que de celui de Jupiter, qui se groupaient encore, à l'aurore du christianisme, sous l'ombre d'Orphée, et se paraient de son nom. Quant à moi, comme au milieu de ces divers travestissements de sa pensée, je ne rencontrais que peu de traits de son propre génie, je m'en étais fait une image idéale plus près du ciel que de la terre, et cette image s'est mêlée à toutes les jouissances ou aux illusions de mes pérégrinations orientales; enfin, quand je m'asseyais sur les décombres d'Éleusis et sous les colonnes du

Parthénon, où vous avez médité vous-même, il me semblait toujours voir planer, au-dessus des monuments écroulés ou debout encore du culte ou des arts, la grande figure d'Orphée, le premier en date des bienfaiteurs de l'humanité.»

XI.

Une traduction des poésies d'Eschyle, cette élégie nationale des vaincus de Salamine, écrite et chantée sur le théâtre d'Athènes pour grandir les vainqueurs, termine cette belle étude sur la poésie des Grecs. C'est une véritable encyclopédie hellénique, sans prix pour les savants et pour les poëtes.

Huit jours après avoir publié ce volume, qui devait lui ouvrir les portes de l'Académie française, but mondain de sa vie d'étude, il n'était plus. Il s'était éteint sans souffrance et sans angoisse, plein de confiance dans les promesses de la religion, qu'il avait toujours admise sans contrôle dans ses dogmes pour la pratiquer dans ses vertus.

Il mourut comme Pétrarque, à Arquâ, les mains jointes, le front couché sur les pages de son Virgile, chargé en marges de notes pour la seule femme qu'il ait aimée, en lui recommandant ses amis, et en la recommandant à ceux qu'il laissait après lui sur cette terre.

Ayant appris trop tard sa fin, j'assistai à ses obsèques à Paris. Il y avait là tout ce qui cultive les lettres pour elles-mêmes, sans exception d'opinion, de parti, de dynastie.

Tout le monde pleurait du fond du cœur: ainsi la France perdait un homme de goût, un homme d'étude, un homme d'honneur, un homme religieux, et ceux qui chérissent la haute littérature,—moi,—j'avais perdu un ami!

ADOLPHE DUMAS.

Et toi aussi, Adolphe Dumas! ô second Gilbert français! plus fécond, plus ardent, et moins acerbe que le premier, tu n'es plus!

Peu de jours après avoir quitté Paris, j'appris, en ouvrant un journal, qu'il était mort au bord de cet Océan dont il avait la grandeur, les orages, l'infini dans le cœur! Titan plus qu'homme! Titan enchaîné, révolté, non contre Dieu, mais contre les hommes. Tu n'étais plus! Je versai des larmes: j'en versai de plus amères un mois après, quand je lus dans le feuilleton du Journal des Débats cette héroïque et pathétique élégie de Jules Janin, intitulée: La Mort d'Adolphe Dumas.

Jules Janin, cet homme qui a autant d'esprit que Voltaire, autant d'érudition littéraire que Fontenelle, autant de bon sens que Boileau, autant de cœur qu'une jeune fille quand elle verse ses premières larmes dans le sein de sa mère sur la mort de son serin..., Jules Janin, ce véritable homme de lettres, en action perpétuelle depuis trente ans, qui a tout vu, tout su, tout retenu, tout raconté, et dont le sentiment est éternellement jeune parce qu'il est sans cesse renouvelé par la verve aimable de ce cœur qui ne s'est jamais racorni sous la mauvaise humeur.

Voulez-vous le connaître, si vous ne le connaissez pas? Souvenez-vous de Sterne, débarqué à Calais, et causant avec le pauvre moine qu'il a l'intention de railler un peu sur sa robe, sur son oisiveté, sur sa mendicité volontaire; le pauvre moine ne l'entend pas, ou fait semblant de ne pas le comprendre par bonhomie et par humilité; il s'incline, et, ouvrant sa tabatière de buis, il offre à son caustique étranger une prise de son tabac. Sterne y plonge ses deux doigts, et s'étonne de trouver sous ses paupières deux larmes, de ces larmes du critique attendri.

C'est M. Jules Janin, non pas seulement le plus lettré, mais le plus tendre des hommes! Oh! que le véritable esprit est bon à tout, même à pleurer!

XII.

Qui pouvait se douter que Jules Janin savait par cœur son Adolphe Dumas, et qu'il me ferait sangloter en me le racontant à moi-même, à moi qui venais, il y a si peu de jours, de passer trois heures avec ce Descartes exalté, avec ce mystique résigné, avec ce Tasse méconnu, avec ce sublime estropié de notre terre, avec ce Job sur son grabat de notre France, et que ce n'était pas sur lui, mais sur moi, qu'il rugissait contre le sort, et qu'il m'adressait des vers d'airain contre l'impitoyable légèreté de ceux qui rient de ce qui ferait pleurer les anges?

Voici comment.

J'ai toujours aimé ceux qui aiment, ceux qui souffrent, ceux qui gémissent et qui s'indignent en silence, ceux qui se sauvent d'un monde moqueur; ceux qui s'enveloppent, quand ils sortent, de leur manteau troué par la misère, de peur d'être reconnus dans la rue par ces persifleurs spirituels ou bêtes qui vendent des ricanements aux passants pour insulter toute grandeur: ces pauvres honteux de la gloire, qui sentent en eux leur noblesse innée, qui se cachent de peur qu'on ne se moque, non d'eux-mêmes, mais du don divin qu'ils portent en eux.

Que voulez-vous? c'est une faiblesse. Je méprise le rire méchant, cet antidote de ce qui est sérieux et sacré chez les hommes, le génie et le malheur.

Je n'ai jamais pu m'empêcher de mal espérer d'un pays qui a fait du rire une institution dans ses journaux; cela n'avait lieu à Rome que dans les triomphes, pour rappeler aux heureux qu'ils étaient hommes.

Mais se figure-t-on le rire sur la perte du misérable dont un huissier vend le grabat par autorité de justice, ou qui vient de se suicider par peur du ridicule? Eh bien, cela s'est vu deux fois de nos jours, à Paris, pour deux grands artistes.

Le Gaulois a dépassé le Romain! Le Romain ne riait que des heureux, le Gaulois rit et fait rire, pour de l'argent, de l'infortune et du désespoir.

XIII.

Au milieu de la rue qui porte aujourd'hui le nom de rue Lamartine, nom qui s'inscrivit de lui-même le lendemain de la victoire de la République conservatrice, en juin 1848, sur les factions liberticides qui voulaient tuer à la fois l'ordre et la liberté, nom qui me fait penser toutes les fois que je passe, même dans ce quartier de petits trafics, au bon sens et au courage du vrai peuple de Paris, s'ouvre une petite rue annexe, montante, tortueuse, mal bâtie, mal pavée, et à laquelle on a laissé par oubli le vieux nom de rue Neuve-Coquenard. Cela ressemble à s'y méprendre à une rue des quartiers déserts de Rome qui montent du Vatican aux fontaines monumentales de la villa Albani; tout y est silence, solitude, petits métiers, revendeurs, encadreurs, marchands de légumes avariés ou de pommes ridées pour les petits ménages, étalées sur des devantures aux vitres cassées.

De distance en distance des portes d'allées, souvent solitaires et silencieuses, sur des cours tortueuses au fond desquelles on entrevoit de vieilles portes grillées comme des restes d'anciens couvents, de longues files d'enfants et d'habitants y entrent et en sortent muets, sous la garde sévère d'un homme en robe noire, pauvre troupeau qui se disperse de seuil en seuil, à mesure qu'il s'éloigne de l'école. L'homme noir, ou le chien de garde, regarde alors derrière lui, et, ne voyant plus personne, regagne seul son domicile, referme la porte de la cour et remonte, un livre à la main, dans sa chambre haute.

On devine aisément que les loyers n'y sont pas à grands prix; mais ce qu'on ne devine pas, c'est qu'au fond de ces allées et de ces cours qui semblent aboutir à des cloaques, s'étendent, sur le derrière de ces maisons, des espaces inconnus, enceints de murs peu élevés, où des maisons proprettes, toutes semblables à des villages rustiques, dont les petits jardinets palissadés et les fenêtres tapissées de cordes étalent au soleil le linge blanc des ménages pour le sécher au vent.

Ces espaces irréguliers, coupés de sentiers qui s'entre-croisent pour aller chercher chaque porte, sont pleins d'ombre et resplendissants de soleil; on y entend sur les sureaux, cet arbuste du pauvre, chanter les oiseaux qui découvrent partout une feuille pour se nicher, une tuile pour se chauffer, une miette pour se nourrir.

Ces mendiants ailés, mais gais parce qu'ils ont des ailes, égayent tout le jour le silence de ces quartiers dépeuplés.

XIV.

Çà et là, dans le dédale de ces sentiers, de ces jardins et de ces cours, on découvre de petites habitations de hasard, à un seul rez-de-chaussée, bâties en planches de rebut des démolitions, encore peintes des diverses couleurs des lambris auxquels elles ont appartenu dans les palais; là vivaient, dans une retraite définitive ou provisoire, quelques solitaires estropiés qui ont acquis à bas prix ce petit coin d'espace entouré d'arbustes ou de gazons. Quelques familles dépaysées, pleines d'enfants, y jouent au soleil avec la misère, tandis que l'aînée des sœurs, qui garde la famille en l'absence du père et de la mère, belle quoique pâle et maigre sous ses haillons, regarde, adossée à la porte, le jeu des enfants, et suit de l'œil avec curiosité l'étranger qui lui demande l'adresse et la clef de ces labyrinthes.

Le dirai-je? Oui, car je le sais, et j'y ai visité deux fois des proscrits intéressants de la littérature; là vivent aussi quelques hommes de lettres vagabonds, innomés, cachés comme dans des antres, d'où, ils effrayent de leur aspect les pauvres et honnêtes familles de leurs voisins. Ils y végètent du salaire de quelques articles empoisonnés qu'ils envoient à des journaux avides de scandale; et si vous avez eu le malheur de répondre à leurs lettres et de céder à votre cœur en leur portant secours, une autre fois ils vous menacent, en sifflant comme la vipère sous la pierre où elle est cachée, de vous dénoncer ou de vous mordre; espérant arracher à la peur ce que la main vide ne peut plus leur apporter.

Le voisinage malfaisant de ces hommes de proie est la seule ombre de ces oasis de la pauvreté honnête; immondice morale qui attriste un peu la sérénité de ces lieux. Du reste, on se croirait à mille lieues du vice ou de la perversité; le bruit de la ville n'y pénètre pas, le vent y souffle librement par dessus les toits ces bouffées tièdes et sonores qui viennent on ne sait d'où, comme des souffles d'esprits invisibles, secouer les arbustes, faire tomber les feuilles mortes, et siffler à travers les vitres cassées des fenêtres, et rappeler au poëte malade sur sa couche que la nature chante, et que la terre prie pour lui.

Les volets battent contre les murs; un soleil pâle entre dans les enclos par dessus les haies; les enfants jouent sur l'herbe au seuil de l'habitation de leurs mères; tout présente à l'œil des visiteurs étonnés l'aspect d'une guinguette morte des environs de Paris, enclavée par hasard dans une enceinte, et où le silence et le recueillement d'un couvent ont succédé tout à coup au tumulte des fêtes, au cliquetis des verres et au bruit des instruments et des danses du peuple.

XV.

C'est dans une des maisonnettes les plus propres, qui forment au midi l'enceinte monastique de ce cloître, qu'une jolie petite fille de douze ans m'indiqua la porte du poëte. On voyait, à l'empressement et à la complaisance de l'enfant, qu'elle était connue et aimée dans le voisinage; des blanchisseuses occupaient le rez-de-chaussée.

Je montai un petit escalier de bois qui ouvrait sur une antichambre propre, bien éclairée d'un beau rayon; j'appelai, le silence me répondit; j'entrai dans un petit salon très-rangé aussi, mais presque sans meubles; j'appelai encore, silence aussi profond; enfin, une voix creuse, sépulcrale, venant de loin, me cria de la chambre voisine: «Entrez, je ne puis ouvrir!»

J'entrai en effet; il était sur son lit, au fond de la chambre. La pleine clarté d'un beau jour entrait dans sa chambre par la fenêtre ouverte avec les bouffées de vent du printemps, qui jouait avec les rideaux, se concentrant sur sa mâle et athlétique figure!

Il me reconnut, et joignant ses deux fortes mains maigres, mais aux longs doigts et aux nœuds de chêne, sur son front:—Ah! c'est Lamartine, s'écria-t-il; eh quoi! mon cher ami, dévoré du temps comme vous êtes, et préoccupé jusqu'à la mort de vos soucis, il vous reste encore de ce temps assez pour venir consoler un misérable, et assez de ces soucis pour en donner aux autres? Ah! venez, que je vous serre dans mes bras; et il me serra en effet d'une étreinte vigoureuse et convulsive qui fit craquer les os de ma maigre charpente.

—Certainement, lui dis-je, en m'asseyant sur son fauteuil, en face de son petit feu de cendre, il me reste toujours du temps pour aimer ceux qui m'aiment, et des soucis pour oublier les miens en pensant aux soucis de mes amis! Il y a près d'un mois que je ne vous ai vu, je me suis dit: Il faut qu'il soit malade, allons-y; et portons-lui le cœur, la main, la bourse, et tout ce que l'amitié peut partager, et tout ce que l'amitié peut accepter.

—Non, non, me dit-il tout de suite, en me montrant sur le coin de sa cheminée sa bourse de cuir entr'ouverte; je n'ai aucun besoin ni de soins ni d'argent, grâce à mon excellent frère, qui remplace mon père, et à ma bonne sœur qui me tient lieu de mère. Je suis riche, très-riche, ajouta-t-il; regardez, j'ai plus de cent écus dans cette bourse; j'ai ma pension de poëte à toucher incessamment par quartiers; c'est vous qui êtes pauvre, puisque vous avez employé vingt ans de politique à vous appauvrir, et que vous devez vos jours et vos nuits à vos créanciers, que le travail ne solde pas assez vite. Ah! combien je pense à vous, et que d'insomnies votre situation me coûte!

Tenez, me dit-il, en essayant de se lever et en me montrant sa table d'inspiration à l'autre côté de la chambre; tenez! prenez ce papier sur cette table et donnez-le-moi, que je vous lise les derniers vers que j'ai écrits, ces jours-ci, en réponse à ces hommes de pierre qui vous insultent pour votre misère, et qui rient de vous, les misérables, parce que vous n'avez pas voulu être le tyran de leurs bassesses! Vous n'avez eu qu'un tort, ajouta-t-il, et c'est celui-là.

—Non, lui dis-je, je sais très-bien que je pouvais prendre la fortune avec la dictature et la garder; mais il fallait pour cela cinq ou six têtes des leurs en tout pour intimider le reste. Un crime, c'est trop pour un pouvoir qui ne dure que quelques années, et qui souille éternellement la conscience en pervertissant la liberté par un mauvais exemple. J'aime mieux l'innocence que le pouvoir; je me suis repenti souvent de m'être mêlé des affaires des hommes, mais jamais de leur avoir donné le bon exemple de l'abnégation et de l'humiliation volontaire au lieu du crime. Il y a des ingrats et des moqueurs du bien ici-bas, mais n'y a-t-il donc pas un Dieu là-haut? lui dis-je en lui montrant par la fenêtre la vaste et sereine profondeur de l'azur céleste.

—Oui, souffrons avec patience et avec résignation l'un et l'autre, reprit-il, comme un Job quand il se repent d'avoir mal parlé; puis, ouvrant le papier que je lui avais tendu sur son lit, il se prit à me lire la dernière ode que je lui avais inspirée!

Je la possède; je l'ai sous la main, mais je me garderai de la donner à mes lecteurs, c'est trop poignant!

C'est la joyeuse ironie lyrique d'un grand poëte qui s'adresse aux heureux sycophantes de son pays et de son temps; qui leur peint en traits de Tacite et de Juvénal les angoisses d'un poëte agonisant, qui s'épuise de travail, et qui, ne se trouvant pas assez de sang dans les veines pour désaltérer ses créanciers, entreprend de vendre ses vers pour un peu d'argent, et ne trouve pas assez d'acheteurs pour payer sa vie et pour racheter son honneur avant de mourir.

Le refrain est gai, d'une gaieté folle comme une orgie; l'indifférence y danse et y chansonne comme dans une guinguette; c'est du Rabelais goguenardant au chevet du lit de Gilbert.

Cette détonation inattendue de gaieté cruelle et d'agonie mêlées ensemble fait frissonner la peau et peint le siècle.

—Donnez-moi cela, lui dis-je, et ne le publiez jamais; les poëtes aussi doivent jeter leur manteau sur les nudités de leur temps.

Il me tendit l'ode mouillée d'une de ses larmes; cette larme ne me fit pas pleurer, mais elle me fera éternellement souvenir.

XVI.

Adolphe Dumas se dressa alors sur son séant et passa son pantalon et ses pantoufles pour aller jusqu'à sa table de travail chercher dans un tiroir d'autres poésies; je lui offris mon bras.—Non, me dit-il, vous ne m'aideriez qu'à tomber, et je vous entraînerais dans ma chute, vous allez voir; j'ai calculé et disposé les appuis que ma douloureuse infirmité me rend nécessaires pour aller en sûreté de ce grabat à ma table, et de ma table à mon lit, sans assistance: il n'y a pas si loin du travail à la mort d'un pauvre poëte estropié, pour qu'il ne puisse passer, avec l'aide de Dieu, du dernier labeur au dernier sommeil, et encore, en rencontrant son Dieu en chemin, me dit-il en se tenant contre ses meubles devant un christ d'ivoire donné par sa mère.

Voyez mes bras nerveux, ils me servent de jambes, et s'appuyant en effet tout tremblant et tout chancelant sur le bois de son lit, de son lit sur le dossier d'un lourd fauteuil, du dossier du vieux meuble sur le marbre de la cheminée, et de la cheminée sur sa table, il arriva tout essoufflé sur un autre fauteuil, et s'attabla. Son front ruisselait de sueur devant le tiroir qui contenait ses papiers.

—M'y voilà, dit-il, et causons!

Et nous causâmes.

Quand il était assis et causant, sa belle tête inspirée n'indiquait aucune fatigue; sa voix vibrait comme celle d'un Jérémie moderne. Il me dit que son frère était venu le chercher à Paris pour le mener en Normandie, dans sa famille, où le bon air des champs et les jeux de ses enfants lui rafraîchiraient la tête et lui rendraient les forces. Il me pria, pendant son absence de Paris, de m'informer du prix d'un logement pour lui à l'hospice volontaire de Sainte-Perrine.

Je m'en chargeai; mais je n'eus pas le temps d'accomplir ma commission: son frère entra avec le visage joyeux, affectueux et tendre d'un homme qui se réjouit d'emmener bientôt un frère aimé et glorieux sous son toit, à sa femme et à ses petits enfants qui l'attendent.

XVII.

Adolphe Dumas me présenta son frère, et nous nous entretînmes longtemps des délices d'amitié et de bien-être qui l'attendaient à la campagne.

Ma visite ne finissait pas; je n'ai guère le temps d'en faire d'inutiles, mais cela paraissait donner tant de plaisir à trois personnes, que j'attendis pour sortir qu'il fit presque nuit dans la cour. J'oubliais de vous dire qu'un gros livre in-quarto à deux colonnes était ouvert sur sa table, et qu'un chapelet grossier, dont les grains luisants témoignaient qu'ils avaient glissé longtemps dans les doigts (celui de sa mère), était négligemment jeté sur les pages.

—Il ne faut pas que cela vous étonne, me dit-il, nous autres Provençaux, nous mêlons Dieu à tout, surtout à nos passions et à nos tendresses. J'ai été sceptique dans ma jeunesse, un grand amour m'a ramené à une grande foi; je me suis lavé avec les larmes de saint Augustin, ce fils converti par sa mère. Ah! c'est un beau livre que celui-là; Scheffer a fait un beau tableau de ce fils qui écoute et qui voit le ciel à travers les yeux bleus de sa mère.

Et moi aussi, c'est à travers le souvenir de la mienne que je vois la vie et la mort. Quelles délices solitaires et nocturnes j'éprouve dans mes tristesses et dans mes infirmités à relire ces confessions d'un Rousseau chrétien, et à rouler entre mes doigts distraits ces grains dont chacun a emporté les saintes prières de la pauvre femme d'Égraque (c'était le nom de son village, au bord de la Durance). Ah! mon cher Lamartine, je ne sais pas ce que vous croyez avec votre esprit, peu m'importe! mais je sais bien ce que vous aimez avec votre âme; et j'ai toujours prié Dieu pour qu'il daigne mettre un peu de foi dans tant d'amour.

Hélas! que prierais-je, moi, dans mes nuits terribles, sans la consolation des affligés, sans ce confident divin qui veille à mon chevet, qui ne s'endort jamais, et qui entend tout! L'amour malheureux m'a fait un être désespéré, la douleur me fait chrétien!

Croyez-moi, mon cher ami, il y a quelque grand secret dans les larmes: vous êtes digne de l'apprendre un jour! Ne me méprisez pas, j'ai besoin de prier, ou bien donnez-moi une autre langue que celle de ma mère ou de l'Évangile!

—Moi? lui dis-je, mépriser ou railler la douleur pieuse!

Ah! toutes les croix sont saintes, toutes les douleurs sont sacrées, toutes les consolations sont vraies pour qui les éprouve. J'aimerais autant mépriser la main du pauvre enfant qui conduit l'aveugle, ou briser le bâton qui soutient le boiteux! Ne m'accusez pas d'une telle cruauté, mon cher Dumas. Dieu se révèle aux forts par la force, aux tendres par l'amour, aux malheureux par la douleur; quand le cœur est comblé d'amertune, il en monte une larme aux yeux, et quand le vent la sèche, cette larme, je ne demande pas d'où vient le vent.

Tout ce qui soulage vient de Dieu; vous êtes très-fort, mon ami, vous êtes héroïque dans vos tortures comme Philoctète à Lemnos. Vous rempliriez le ciel de vos rugissements contre les dieux et contre les hommes, si ce chapelet de votre mère ne vous soulevait pas la nuit, au-dessus de votre couche de douleur, et ne vous rattachait pas au ciel, où elle vous entend; vous tomberiez dans l'abîme sans fond du désespoir. Et vous voudriez que je méprisasse ce fil qui retient le naufragé du cœur au rivage! Non, non, mon cher, je ne méprise pas le surnaturel, je l'envie.

Adieu, je vous laisse à votre excellent frère, et je vous confie aux souffles du printemps, que vous allez respirer sur le seuil de sa porte avec ses petits enfants.

Il avait une grosse larme dans les yeux, et me serra la main à me la briser, et je sortis pour regagner, le cœur resserré, mon ermitage.

XVIII.

Quelques jours après ce jour, le soir, à l'heure où quelques rares amis, que la mort décime d'année en année, viennent causer un moment de la journée, et savoir si la sentinelle oubliée n'a pas été relevée de son poste, on annonça Adolphe Dumas et son frère.

Il entra en boitant, le visage gai, le front ruisselant de sueur, et retomba essoufflé sur le canapé.

—Je vous croyais parti? lui dis-je.

—Non, me répondit-il, je pars demain, et je n'ai pas voulu vous laisser ici sans vous dire adieu, et vous souhaiter un doux automne, ainsi qu'à madame de Lamartine et à cette nièce qui s'oublie auprès de vous pour vous faire oublier ce qu'on ne peut oublier, ajouta-t-il en passant le revers de sa large main sur ses yeux.

—À moins qu'on ne le remplace, lui dis-je.

Puis nous causâmes des tendresses et des amusements de la campagne. Mes chiens semblaient l'entendre, et se dressaient sur leurs pattes pour lui lécher amicalement les mains. Sa forte voix, où vibrait la franchise de son cœur, les excitait. Les animaux aiment ce qui est fort et doux; la franchise de l'accent les étonne et les émeut; ils ont le tympan sensible et juste. Il en était importuné, je les éloignai.

—Non, dit-il, laissez-les faire, ils savent ce qu'ils font; ils comprennent plus vite que nous qui nous sommes et qui nous aimons! Car les animaux, Madame, dit-il à ma femme, c'est un grand et doux mystère!—ses yeux se mouillèrent; il n'y a que les hommes solitaires, malheureux, attentifs et bons qui le devinent. Voyez le chien du Lépreux dans Xavier de Maistre, votre ami, comme c'est vrai, comme c'est compris, comme c'est senti! comme ces méchants enfants, quand ils le poursuivent et le lapident, lorsqu'il franchit malheureusement le mur de la léproserie et qu'il revient mourir aux pieds de son maître, font honte à l'homme! comme le lépreux est deux fois lépreux après avoir perdu sa compagnie dans son enclos!

Et il sanglota tout bas, comme un homme fort qui ne veut pas pleurer et que le sanglot étrangle.

Nous fîmes silence un moment: il reprit, en s'adressant à ma femme:

«—Et moi aussi, Madame, et moi aussi; après ma mère, mes frères, ma sœur, mes amis, ce que j'ai le plus aimé, le plus regretté, le plus pleuré sur la terre, c'est un pauvre oiseau, c'est ma tourterelle; c'est l'amie, c'est la compagne du solitaire. Vous l'avez connue, Lamartine, vous l'avez caressée sur ma fenêtre, sur le bout de mon lit, à mon chevet, sur le dossier de mon fauteuil, sur mon épaule, sur mes cheveux, sur ma main, quand j'écrivais. Hélas! dit-il, en s'attendrissant, vous ne la reverrez plus! Elle a péri, comme tout ce qui m'aime, par la pierre d'un enfant méchant, d'un de ces enfants de Paris qui ne sentent la vie qu'en donnant la mort à tout ce qui vit inoffensif, de douceur, de charmant, d'aimant auprès d'eux!

Oh! l'homme, ajoutait-il en élevant ses deux longs bras au niveau de sa belle tête, c'est bien méchant, cela vit de meurtre; mais l'enfant, c'est bien plus cruel, puisque cela a tous les instincts méchants de l'homme, toutes ses passions féroces sans avoir encore la raison qui les modère, ou les éclaire.

Cela éteindrait les étoiles, si ses mains malfaisantes pouvaient atteindre jusque-là!...

—Je ne dis pas non, répondis-je; aussi, voyez comme les animaux les redoutent. Si mon petit chien voit passer un régiment dans la rue, il me suit sans y faire attention; mais s'il aperçoit de loin un groupe d'enfants sur le trottoir, il se jette à toute course de l'autre côté de la rue, il se range et il évite les ennemis naturels de tout ce qui est bon et faible, et il va m'attendre bien loin au delà du danger.

L'homme veut des opprimés; l'enfant veut des victimes. C'est un enfant qui s'amusa à tordre le cou à la tourterelle amie de Dumas.

—Oh! lisez-nous les vers que vous avez faits sur ce pauvre oiseau, lui dirent ma femme et ma nièce, émues d'avance de son émotion.

—Je le veux bien, reprit-il, mais pardonnez-moi si ma voix s'altère et tremble un peu à chaque strophe, Madame. Hélas! on pleure quand on peut dans cette triste vie, ajouta-t-il, je n'avais que cette amie à pleurer: voilà!

Et il récita, au lieu de les lire, ces strophes dont Jules Janin a dit, en parlant des grands auteurs sauvés par une élégie immortelle:

«Peut-être un jour Adolphe Dumas, quand on le connaîtra mieux, quand on voudra le relire, avec la bonne volonté de tirer son nom de l'abîme, sera sauvé par son élégie à sa Colombe!»

Jugez-en vous-mêmes, âmes tendres, pour qui nulle tendresse de l'âme n'est perdue, quelle que soit la chose qui vous aime. Ce n'est pas un badinage que de perdre cruellement ce qui vous a aimé!

MA COLOMBE.
SA VIE.

Quand Flora reniait jusqu'à la Providence,
Et qu'après l'impudeur vint l'âge d'impudence
Et des amants qu'elle a trahis;
Il lui restait encor, tout meurtri de sa cage,
Un oiseau de boudoir, regrettant le bocage,
Et qui meurt du mal du pays.

Elle ne l'aimait plus, c'était gênant pour elle,
D'avoir à son oreille un cri de tourterelle

Et d'entendre la nuit, le jour,
Les reproches que font aux femmes inconstantes
Les oiseaux amoureux, dont les voix haletantes
Se plaignent des torts de l'Amour.

Alors on m'apporta l'amour de tous les âges,
La colombe des saints, des vierges et des sages,
Messager providentiel
Qui de tout temps, oiseau plus sacré que les autres,
Va, du front de Jésus aux lèvres des apôtres,
Porter les messages du ciel.

La colombe malade et les paupières closes
Posa sur mes deux doigts ses deux petits pieds roses.
Eh! d'où viens-tu, pour m'enchanter.
Bel oiseau d'Orient, lui dis-je, et de l'Aurore?
Et du dernier soupir qui lui restait encore,
Le mourant se mit à chanter.

Depuis ce jour et tous les jours que Dieu fait naître
Elle n'a plus quitté ma chambre ou ma fenêtre.
Tous les matins à son réveil,
Esclave de son cœur, mais libre de ses ailes,
Les ouvre comme deux éventails de dentelle
Et les étend à son soleil.

Son parc a quatre murs, et sa verte prairie
Fleurit depuis dix ans sur ma tapisserie.
Sans volière et sans pigeonnier,
N'ayant rien et pas même une cage où la mettre,
Je lui dis: vole, et prends chez moi comme ton maître,
La liberté d'un prisonnier.

Chaste, elle entend gémir les tendres hirondelles,
Les passereaux légers, les ramiers infidèles,
Mais en repousse les aveux.
Elle sait que je l'aime, et, pour ma récompense,
Elle vient sur mon front, comme un oiseau qui pense,
Faire son nid dans mes cheveux.

On redevient enfant, dit-on, quand on est père,
On passerait sa vie à faire sa prière
À genoux devant un berceau.
Ayez une colombe, et n'importe laquelle,
En vivant avec elle, en jouant avec elle,
Avec elle on devient oiseau.

Ainsi quand je suis seul, ainsi quand je m'attriste
Des misères de l'art et du métier artiste,
Écrire, alors m'est odieux.
Elle vient sur ma page, et m'empêche d'écrire,
Et bat de l'aile, et part d'un long éclat de rire
Qui nous fait rire tous les deux.

Elle se dit: Voilà mon ami qui travaille.
Et vole sur les toits chercher un brin de paille,
Ou bien quelque autre chose ailleurs,
Et vient le déposer au milieu d'un poëme,
Sur les vers que je lis d'un poëte que j'aime,
Et souvent ce sont les meilleurs.

Son luxe, c'est d'avoir sans cesse, toujours pleine,
Sa baignoire, et plein d'eau son plat de porcelaine,
Elle y plonge, et me fait soudain,
Son lac au fond des bois, dont la source remonte
Aux jardins de Paphos, de Gnide et d'Amathonte,
Du Nil, du Gange et du Jourdain.

Agitez un mouchoir, le blanc c'est son symbole,
Elle décrit dans l'air la même parabole,
Et vient chanter sur votre main.
Un bouquet dans un vase, ou sur la cheminée,
Le matin elle y fait son lit de la journée,
Et le soir, jusqu'au lendemain.

Comme un ruisseau limpide, Ève amoureuse d'Ève
Son amour idéal, l'autre amour qu'elle rêve
Elle l'a vu dans un miroir,
Et donne à son image, inquiète et jalouse,
Tous les baisers d'amante et jamais ceux d'épouse,

Comme l'amour qui vit d'espoir.

Elle est devant sa gloire et devant son image,
Elle la trouve belle, elle lui rend hommage,
Mais elle garde son honneur.
Et douze fois par jour, sur son trône de reine,
Elle écoute à ses pieds ma pendule d'ébène,
Sonner douze heures de bonheur.

Mais quel nom te donner, bel oiseau sans mélange,
Pur comme les esprits, ailé comme les anges?
Je ne sais comment te nommer.
Pour l'homme de prière et pour l'homme d'étude
La colombe au désert, Dieu dans la solitude,
Leur nom? C'est le besoin d'aimer.

À moins qu'un noir vautour, ou quelque oiseau d'Asie,
Ou l'oubli de son maître, ou de la poésie,
Ou les romans qu'elle aura lus,
Ne l'enlèvent aussi pour être malheureuse,
Et passer de l'amour à la vie amoureuse
Jusqu'à ce qu'elle n'aime plus,

Je te garde, et je dis ce que disent tes mères
Aux ramiers pétulants des amours éphémères:
Allez, allez, mes beaux ramiers,
Outre l'oiseau perdu, je crains encore l'épreuve,
Qui me la prendrait vierge et me la rendrait veuve,
Cherchant son grain sur vos fumiers!

À celui qui mourra le premier! si c'est elle,
Je voudrais lui promettre une gloire immortelle,
Comme son immortel amour;
Si c'est moi, qu'elle pleure une nuit sur ma tombe
Et qu'on dise: On a vu son âme et sa colombe
Qui s'envolaient au point du jour.

MA COLOMBE.
SA MORT.

Si quelqu'un me disait, de ceux qui l'ont connue,
Elle s'en est allée et n'est pas revenue,
Elle a changé, tu changeras...
Et tout ce que fait dire une femme infidèle,
Je pourrais l'oublier et ne plus parler d'elle,
Et l'oubli venge des ingrats.

Mais non, de jour en jour, de plus en plus charmante,
Plus tendre que jamais, plus que jamais aimante,
Elle venait pour se nourrir,
Elle venait manger et boire sur mes lèvres;
Ses baisers plus ardents avaient toutes les fièvres;
Il semblait qu'elle allait mourir.

Hier, et ce matin, toute la matinée
Elle m'avait suivi, pauvre prédestinée!
Sur la prairie, au bord des eaux,
Rien ne la tentait plus: à tout indifférente,
Ni la prairie en fleurs, ni l'onde transparente,
Ni le chant des autres oiseaux.

Elle suivait son maître, et jamais que son maître;
Nous avions une voix pour mieux nous reconnaître,
Et quand l'appelait cette voix,
Elle aurait tout quitté, ma blanche tourterelle,
Et les amours d'avril, et le nid fait pour elle,
Et sa couvée au fond des bois.

Nos penchants étaient nés de notre solitude,
Et notre amour venait de cinq ans d'habitude,
Cinq ans de travail et d'ennuis.
Le malheur se ressemble, et le malheur s'assemble,
Ensemble nous chantions, ou nous pleurions ensemble
Tous les jours et toutes les nuits.

Mes amis le disaient, je puis bien le redire;
Elle avait tout d'humain, excepté le sourire.

Nous la regardions en tremblant,
Et plus on regardait ses yeux pleins de lumière,
Plus on me demandait si l'âme de ma mère
N'était pas dans cet oiseau blanc.

Elle avait le souci d'une femme amoureuse
Qui soupire sans cesse et n'est jamais heureuse;
Et je la portais dans mon sein.
Et je disais souvent, le soir dans la campagne:
Dieu, qui me savait seul, m'a donné pour compagne
L'image de son Esprit-Saint!

Eh bien! ce don de Dieu, qui chantait tout à l'heure,
Je pleure et je l'attends, je l'appelle et je pleure.
Et dites-moi si j'ai raison:
Mon miracle d'amour, ma colombe adorée.
Un chien de boucherie, un chien l'a dévorée
À la porte de ma maison.

Comment? je n'en sais rien, Dieu seul en sait la cause;
Sitôt que nous aimons quelqu'un ou quelque chose,
La Mort dit: pourquoi l'aimes-tu?
Et notre Ève est partout, partout le mauvais ange,
Un bel oiseau qui chante, un chien fou qui le mange,
Voilà le sort de la vertu.

Oh! loi, cruelle loi, si tu n'étais pas sainte!
Faut-il ne rien aimer, ou n'aimer rien sans crainte?
Pas même sa mère ou sa sœur,
Ni la fleur, ni l'oiseau, ni l'enfant, ni la femme?
Alors, mon Dieu, pourquoi nous donnez-vous une âme?
Pourquoi me donniez-vous un cœur?

Elle est morte à présent et votre loi m'accable,
Qui veut que l'innocent meure pour le coupable;
Mais n'importe, je m'y soumets.
Vingt fois depuis vingt ans, ô ma belle colombe!
J'aurai fermé les yeux pour adorer la tombe
Où j'ai mis tout ce que j'aimais.

À Paris, je dirai, car il faudra tout dire,
Que les petits enfants ont pleuré ton martyre,
Et, vieux, te pleureront longtemps.
Elle est morte, dirai-je, un jour d'imprévoyance,
Mais elle est morte aimée, elle est morte en Provence;
Elle est morte un jour de printemps.

Morte parmi les fleurs, morte comme une rose
Qui demandait d'éclore et qui n'est pas éclose,
Et c'est ainsi qu'elle finit.
Vierge comme une vierge au jour de sa naissance,
Elle a fait de l'amour son rêve d'innocence,
Elle n'a jamais fait son nid!

Et toi, dans ma douleur demeure ensevelie,
Je ne t'oublîrai pas, si le monde t'oublie.
Adieu donc, ma compagne, adieu!
Et pour ne plus mourir, ma colombe chrétienne,
Tu n'as pas d'âme? Prends la moitié de la mienne,
Et recommande l'autre à Dieu.

On n'applaudit pas, car on pleurait; il avait les yeux mouillés lui-même; il se leva péniblement, comme en sursaut, avec l'aide du bras de son frère, qui l'emporta à travers ma cour jusqu'à son fiacre.

Et je ne le reverrai plus.

XIX.

Et qu'est-ce donc qu'Adolphe Dumas, cet estropié sublime? demanderont les hommes qui ne sont pas familiers avec ces noms à qui le bruit a manqué ici-bas, mais à qui la mémoire intime des grandes âmes et des grands talents dans le dernier jour ne manqua jamais.

Vous savez que sur les hauteurs, où l'air trop raréfié et trop pur ne retentit pas, il n'y a pas d'écho. Les régions qu'habitait Dumas étaient trop hautes pour que son nom y fît ce bruit que nous autres habitants des collines et des plaines nous appelons gloire.

Je me souviens du temps où l'on me demandait: Qu'est-ce donc que Xavier de Maistre qui a écrit le Lépreux ou le Voyage autour de ma chambre? ou M. de Sainte-Beuve qui a écrit des Consolations, ou M. de Guérin qui a écrit le Centaure, ou Ugo Foscolo qui a écrit les Lettres de Jacopo Ortiz, ou M. de Surville qui a écrit les Poésies de Clotilde?...

Ce sont des solitaires de la littérature, des ermites du génie, des cénobites de la poésie; vivant sur les hauteurs, et ne fréquentant que les sommets où ils conversent à voix basse et à cœur ouvert avec les esprits intimes de la terre. Ce sont, si vous aimez mieux, des oiseaux de nuit, des rossignols, qui nichent très-haut dans les flèches des cathédrales, qui chantent pour eux-mêmes pendant que l'homme dort, ou qui ne se révèlent pas par des notes étranges et sublimes à ceux que l'insomnie tient éveillés, qui, comme des mystères inentendus en bas, traversent l'air d'une plainte ou d'un cri dont l'oreille ne perd jamais la mémoire.

Adolphe Dumas était de cette famille de penseurs solitaires, et de chanteurs de nuit, rossignols de ténèbres!—Aérolithes plaintifs des jours d'été.

Mais le jour vient une fois, pour ces grands esprits solitaires, et ils descendent de leurs niches aériennes, et le grand jour les éblouit. Ils sont faits pour les derniers jours!

XX.

Adolphe Dumas était évidemment un de ces esprits tentés par le grand jour et aveuglés par lui. Il battait d'une aile forte et vaste les murs éblouissants des grandes cités. On le regardait, et on disait: Qu'est-ce que cela? c'est trop grand pour nous; jamais cet homme, qui sait monter, ne pourra descendre! Hélas! on avait raison, il n'était pas proportionné à notre taille, il était géant, il n'était pas homme; ce fut son seul défaut.

Il était né dans cette Provence, où semble s'être réfugiée aujourd'hui, dans un patois hellénique et latin, toute la poésie qui reste en France; il était du village d'Eyragues, voisin, presque contemporain, ami et tuteur de ce Mistral qui nous apporta un beau poëme, le seul poëme pastoral qui ait été comparé à Homère depuis tant de siècles, le plus grand éloge qu'on ait jamais fait d'un poëme depuis trois mille ans!

Lui-même avait commencé aussi, dans la langue provençale, à chanter avec ces Mélibées de son cher pays. Il m'adressa une fois une très-belle épître en français, et j'y répondis comme un écho qui se souvient d'avoir été une voix dans sa jeunesse. On peut voir cette réponse dans mes œuvres poétiques.

XXI.

Ce fut ainsi que commença notre connaissance et notre affection: il en avait pour moi, j'en avais pour lui. Nous nous perdîmes dans la foule pendant mes années politiques et troublées de tribun sur la place publique. Nous nous retrouvâmes toujours amis après les orages et les revers.

Lui aussi, il était malheureux.

J'ignorais ce qui lui était arrivé; il n'en parlait pas; il n'était pas obligé par devoir, comme moi, de rappeler l'attention sur lui pour sauver les autres. Il pouvait se cacher dans la foule, vivre et mourir incognito; bonheur qui, par punition du ciel, m'est refusé. Tu as recueilli le bruit, meurs de bruit!

Tu n'auras pas une heure pour te recueillir entre la vie et la mort: c'est ton expiation!

Heureux qui, satisfait de son humble fortune,
Vit dans l'état obscur où les dieux l'ont caché!

XXII.

D'après Jules Janin, et d'après certaines rumeurs plus près de lui, il paraît qu'il vint à Paris, dans son printemps, pour tenter le théâtre, mais qu'il était, comme moi, trop lyrique pour le théâtre, qui exige plus de bon sens que de verve, et qu'il échoua; que pendant ces essais, il s'éprit d'une jeune et grande actrice, interprète de ses beaux vers, écho de ses grands sentiments, et qu'il espéra l'épouser. Il était très-beau, seulement, comme lord Byron son modèle, il n'avait que le buste d'admirable, il était disgracié de la nature par les jambes; son pied droit, estropié par un accident de naissance, était retourné en arrière, il boitait désagréablement.

C'était le temps où la chirurgie avait inventé un moyen orthopédique et facile de rectifier les membres disloqués; l'amour décida Dumas à subir, à tous risques, cette torture, afin d'être beau de la tête aux pieds aux yeux de celle qu'il aimait. Il ne dit rien à ses amis, ni à sa fiancée; il disparut pendant plus d'un an du monde; quand il y reparut, son supplice l'avait amaigri et pâli.

Son pied était en effet retourné, mais il boitait toujours, et il éprouvait par intervalle des douleurs telles, qu'elles touchaient à la frénésie.

L'actrice, qu'il espérait épouser, ne l'aimait plus; il avait affronté pour elle la mort et le théâtre. Il était plus estropié que jamais; ses pièces, trop hautes pour le parterre, ne lui avaient valu que les applaudissements des poëtes et le dédain du vulgaire: il était abandonné de sa maîtresse.

Ce fut alors qu'il disparut dix ans du monde, réfugié dans une cellule du couvent hospitalier des frères de Saint-Jean-de-Dieu, dans la rue Plumet, entre les pensées de Dieu et les désillusions de la terre.

Le désespoir, la solitude, l'exemple des frères qui lui prêtaient asile, le ramenèrent à la religion de sa mère. Il se plongea dans les Pères de l'Église, et devint mystique comme eux; il retrouva la paix dans le mysticisme. Son âme se rasséréna en Dieu, âme immense à laquelle l'infini seul pouvait suffire.

«Il est vrai, nous dit Jules Janin, que sous ce tiède abri de sa pauvreté vaillante dans ce couvent, Adolphe Dumas avait amené une amie, une compagne au cœur chagrin, aux fidèles amours; sa tourterelle, qu'il avait ramassée un jour, à demi morte de fatigue et de froid. Ils s'étaient adoptés l'un et l'autre; ils ne se quittaient ni la nuit ni le jour; elle le suivait paisible et roucoulante, et si triste, et si tendre! Et les frères hospitaliers forcèrent leur consigne en acceptant cette aimable compagnie!»

(Comme l'esprit sent tout, quand c'est l'esprit d'un homme de cœur!)

XXIII.

Quand les années turbulentes de 1848 sonnèrent comme un tocsin d'espérance jusqu'au fond des monastères, elles étonnèrent d'abord, puis elles éblouirent de grands mirages le cœur d'Adolphe Dumas. Je le vis réapparaître plein de piété populaire et d'extase mystique à côté de moi, crédule aux saintes idées d'un grand pas fait en avant vers Dieu par les peuples, confiant dans la lune de miel de la liberté, sans crime et sans tache; somnambule de la liberté, il levait les bras en haut et cherchait l'horizon de la République!

Je n'espérais pas tant de la constance du peuple, et cependant je ne craignais pas tant de son inconstance. Je tâchais de tempérer son ivresse mystique, de peur que l'excès d'illusion n'amenât l'excès de découragement. Il combattait héroïquement les factieux de l'inconnu, qui ne savaient ce qu'ils voulaient, et qui, ne se contentant pas de la liberté, précipitaient la République dans le délire et dans la guerre.

Les factieux furent vaincus par la République; mais ils fournirent aux faibles et aux ambitieux un prétexte de la maudire, elle, qui les avait couverts de son courage et de sa vie!

Il fut faible, et chercha le salut de sa patrie dans un nom qui représentait la force des soldats, cette raison suprême des peuples à qui la raison manque. Son enthousiasme changea d'objet, il vit le dieu des armées dans ces choses; mais il n'abandonna jamais ceux de ses amis qui avaient combattu sous le drapeau de la République conservatrice, et il ne cessa ni de les aimer, ni de les honorer dans ses regrets.

Ce fut ainsi que nous restâmes unis, moi, réfugié dans le travail, lui, abrité dans son hospice. Il n'y avait point d'intérêt et par conséquent point de bassesse dans son sentiment pour l'Empire. Il ne voyait plus dans les peuples qu'un troupeau qui veut que la raison s'impose par l'épée, au lieu de se soumettre à la houlette de ses pasteurs.

Que lui répondre, après cette grande abdication de la France? Nous ne parlions plus politique; nous parlions littérature, poésie, amitié, choses éternelles.

XXIV.

C'est ainsi qu'il arriva à ses derniers moments, résigné, pieux, plein de cette joie intérieure que l'homme étendu sur le fumier de Job trouve dans l'entretien perpétuel et solitaire avec son invisible ami.

Relisons ici les derniers mots de Jules Janin, qui paraît l'avoir connu et aimé autant que nous.

«Disons hardiment que c'était là une belle et douce nature, un esprit bienveillant, un vrai courage, habile à supporter la mauvaise fortune, un laborieux, rude à la peine et fécond à ses risques et périls. L'an passé encore, en allant de son lit à sa table de travail, il était tombé et s'était brisé l'autre jambe. Et maintenant le voilà mort, sans récompense et sans bruit, non loin de cette ville de Dieppe qu'il aimait, au pied d'une grande falaise, au bruit de l'Océan solitaire qui murmure autour de son cercueil.

«Ce qui nous revient de ses derniers moments, dans une cabane de pêcheur, sur un lit d'emprunt, sous la misère de l'abandon, serait chose lamentable. On dirait que cet infortuné avait voulu pousser à bout, par son exemple, un témoignage inouï des douleurs de la poésie abandonnée à ses propres forces. Pauvre, errant, oublié, négligé, sans doute il a manqué de confiance en ses amis, en sa famille qui lui fut toujours bonne et propice... Il n'a pas manqué de confiance, à coup sûr, dans le Père qui est aux cieux!

«Nous, cependant, avertis par ces défaillances, par ces muets désespoirs, par cette ambition inavouée, honorons ce courage, et remplaçant par nos meilleures sympathies ces tristes funérailles d'un poëte si malheureux, prions pour lui, veillons sur nous.»

XXV.

Comme c'est senti, comme c'est dit, comme c'est écrit avec des larmes de pitié indulgente sur la plume! et quel retour touchant et pieux dans ce: veillons sur nous! nous qui avons moins bien mérité que lui de la Providence, et qui côtoyons les précipices où il est tombé!

Mais il n'y est pas tombé sans soutien et sans amis pour le soutenir, et pour retourner sa tête sur son chevet à sa dernière heure, comme on l'a écrit par erreur ou par prétention à l'effet dans certains récits.

Rien n'est plus faux. Le hasard me rendit témoin des tendresses vraiment paternelles de son frère et de ses amis, quand ils vinrent eux-mêmes à Paris le chercher, Benjamin de la famille, dans sa retraite de la rue Neuve-Coquenard, pour l'emmener sous le bras respirer chez eux, en Normandie, l'air vivifiant de l'été, et des loisirs, et du jardin de famille.

Ce fut encore le bras de son frère qui l'amena chez moi la veille de son départ, et qui l'emporta à travers la cour de ma petite maison dans sa voiture: ils partaient le lendemain. Les soins pieux et féminins de ce frère, qui le soutenait de l'argent de sa bourse comme de son bras, nous touchèrent tous jusqu'aux larmes. La dernière providence d'un malheureux, c'est la famille. La sienne était adorée de lui, et voyait en lui, non-seulement son pupille, mais son orgueil.

XXVI.

Voici la vérité vraie, elle est assez pathétique pour qu'on n'y ajoute pas une mise en scène contre laquelle il s'élèverait du tombeau pour protester.

Les deux frères partirent le lendemain de leur visite chez moi, ensemble, pour Rouen, le 2 juin dernier. Son frère le conduisit lui-même chez sa fille, mariée à Elbeuf, nièce accoutumée à chérir et à soigner cet oncle, amour et orgueil de la famille. Il y vécut pendant six semaines, les plus douces peut-être de sa vie, en pleine paix, en plein amour dans la maison, en pleine ombre, en plein soleil dans le jardin, comme ces haltes du voyageur, quand le jour va tomber et qu'il aperçoit déjà les clochers de la ville où le sommeil l'attend, après les lassitudes de la route.

Une idée fatale le saisit: «Le ciel est beau, la température tiède, l'été des tropiques doit avoir réchauffé les flots qui nous viennent de là; je voudrais me rajeunir en me retrempant dans la mer.»

On craignit que l'énergie saline de la mer ne fût contraire à l'apaisement des douleurs névralgiques dont il avait toujours été affecté. On lui représenta qu'il était à craindre qu'arrivé à l'âge où tout se calme, ces bains amers ne lui donnassent des secousses qu'il convient d'éviter, quand la nature elle-même se traite par la résignation et par le temps. Il était, comme tout le monde, impatient d'accélérer la nature, ce grand médecin que nous portons en nous.

Il insistait; on le conduisit à Puys, petit hameau de pêcheurs dans le voisinage de Dieppe.

Il paraît qu'une première hospitalité dans une maison banale de bains ne convenait pas, par son prix, à la modicité de ses ressources. Il la quitta volontairement et précipitamment et alla demander asile, économie et paix, dans une chaumière de pêcheur, plus modique et plus rapprochée de la grève.

Singulier jeu de la Providence, qui ramène à la fin de sa vie le poëte, ami de la nature, dans l'humble chaumière où il a passé ses premières années, et devant ce grand spectacle de l'Océan, pour chanter ou gémir sous sa fenêtre les grands adieux à la terre de l'homme! Il en jouit à son lit de mort comme il en avait joui dans son berceau: Dieu lui parlait seul à seul avec plus d'intimité et de majesté que dans sa retraite de Paris. Il fut heureux quelques jours.

XXVII.

Le 4 août, cependant, il sentit que la vague qui l'avait délicieusement caressé les premières semaines, secouait trop fortement sa charpente. Il écrivit à son frère qu'il désirait revenir à Paris, et le priait de venir le prendre à la gare de Trouville, en lui marquant le jour et l'heure du rendez-vous.

Ce bon frère se préparait à sa rencontre, lorsqu'une dépêche télégraphique lui annonça qu'il n'avait plus de frère.

Il arriva trop tard pour recevoir son dernier soupir; il l'avait rendu quelques heures avant, serein, confiant, résigné, entre les mains du curé du pays, chargé de bénir sa famille. Un étouffement pulmonaire l'avait asphyxié en peu de minutes et sans agonie. Né d'un spasme, un spasme l'avait emporté.

Il savait où il allait; les hommes n'avaient voulu comprendre ni son âme immense, ni sa poésie; il les quittait sans peine pour la patrie des méconnus. Mais, méconnu par la foule, il laissait ici-bas ce qui console de vivre, une famille du sang, et des amis, famille de cœur.

Je suis le dernier qui lui serrai la main; il me l'a laissée toute chaude encore de sa suprême et convulsive empreinte, et il a emporté toute chaude aussi dans le ciel l'impression de la mienne.

J'ai donné une larme à son souvenir.

Son frère lui ferma les yeux et l'ensevelit à Rouen, dans le cercueil d'une sœur adorée, qui avait été la providence de ses mauvais jours; là, ils dorment ensemble dans une terre étrangère: mais j'aimerais qu'une main charitable remportât ces deux enfants du Midi aux bords tièdes et poétiques de la Durance, comme j'aimerais qu'on ramenât mes dépouilles mortelles près de ceux et de celles que j'y ai déposés moi-même dans un sol qui ne m'appartient déjà plus, à Saint-Point!

Et maintenant, grande âme, dépaysée dans un corps infirme et dans la région des faux jugements, des fausses gloires et des faux mépris de ce bas monde, tu as secoué vigoureusement ce vil tissu de matière, ce manteau de plomb qui t'embarrassait dans ton essor, et que tu soulevais à chaque pas comme une lourde chaîne dont les anneaux te retenaient au sol!

Là, tu estimes à son prix la vaine renommée que donnent les hommes à ceux qui, dans le langage terrestre, cadencent le mieux leur pensée, ou qui, se sentant plus forts que le vulgaire, parlent en images fortes comme eux, et s'expriment en images pénétrantes et neuves, au lieu de balbutier des pensées communes dans un jargon tout fait!

Tu ris de ceux que le siècle exalte, parce qu'ils répètent les banalités et les sophismes convenus de leur époque; tu plains ceux qui, comme toi, pensent leurs pensées à part de la foule, qui les écrivent ou qui les chantent, ou qui les convertissent en action, et qui, de leurs chants et de leurs actes, ne recueillent que l'envie ou le dédain.

Tu vois tout à la vraie lumière, tu nages dans la vérité! Tu t'abreuves de la divinité des choses idéales, cette divinité du monde supérieur où tu vis!

Triomphe, âme sublime et tendre! prie pour les amis que tu as laissés ici-bas, et entre dans ta vraie place, dans le ciel des poëtes, des martyrs, pour chanter et combattre avec eux; et entre aussi dans le ciel des colombes, où tu as retrouvé la tienne qui t'attendait; symbole de tendresse et d'inspiration, pour t'aider à aimer ton Dieu dans l'éternité, communion de ceux qui s'aimèrent dans la région des larmes!

Lamartine.

LXXXIe ENTRETIEN.

SOCRATE ET PLATON.
PHILOSOPHIE GRECQUE.

PREMIÈRE PARTIE.

I.

Toute littérature, comme toute civilisation, a pour dernier terme une philosophie.

La philosophie est la pensée du cœur humain, dont la littérature n'est que la parole; la pensée est le fond de l'homme, la littérature n'est que la forme. Ne vous étonnez donc pas que la philosophie occupe le premier rang dans un cours sérieux de littérature.

Nous vous exposerons successivement tous les différents systèmes de philosophie qui ont possédé tour à tour le monde, depuis celle de l'Inde primitive jusqu'à celle du christianisme, en passant par Zoroastre, en Perse; par Pythagore, en Italie; par Salomon, en Judée; par Anaxagore, Socrate, Platon, Aristote en Grèce; par Mahomet, en Arabie; par Confucius, en Chine; par saint Paul, à l'éclosion des dogmes chrétiens, à Jérusalem ou à Éphèse; par saint Thomas d'Aquin, dans le moyen âge; par Descartes et par les philosophes du dix-huitième siècle en France; enfin par les philosophes allemands et anglais de ces derniers temps. Ce sont là à peu près les seules nations antiques ou modernes et les seules époques qui aient eu des philosophies transcendantes; les autres n'ont eu que des philosophies populaires.

Nous allons commencer, pour vous allécher à cette sublime étude, par la plus lumineuse et par la plus éloquente de ces philosophies, dans la forme: celle de Platon. C'est la philosophie de la raison pure, illuminée par l'imagination, et quelquefois égarée par elle; c'est la plus difficile des philosophies que celle qui ne relève que du raisonnement, au lieu de relever de la foi; car tous les hommes ont assez d'imagination pour croire; un très-petit nombre ont assez de lumières pour raisonner.

II.

Mais, avant de feuilleter avec vous Platon, disons ce que nous entendons ici par philosophie.

Ce mot veut dire amour ou zèle de la SCIENCE; mais quelle science? la science des sciences, la science suprême, la science première et la science dernière, la science surnaturelle, c'est-à-dire la science des choses qui sont au-dessus de la portée des sens.

Cela était nécessaire à vous dire pour ne pas vous laisser confondre cette philosophie surnaturelle, ou cette science des choses invisibles et impalpables, avec toutes ces autres sciences naturelles qui se sont appelées aussi improprement du nom de philosophie, mais qui n'ont pour objet que les choses sensibles et matérielles, telles que la physique, la chimie, l'astronomie, les mathématiques.

Ces sciences systématisées sont des philosophies aussi, si vous voulez, mais ce sont des philosophies inférieures, secondaires, subalternes, courtes, finies, parce qu'elles ne touchent qu'à la matière et à ses phénomènes, et parce qu'en enseignant une multitude de faits, elles n'enseignent néanmoins directement aucune vertu et aucune immortalité.

Voilà pourquoi, quand il s'agit de philosophies surnaturelles, telles que celles dont nous allons vous entretenir, on a confondu le mot de sagesse avec le mot de science, et l'on a dit: La philosophie est l'amour ou le zèle de la SAGESSE. Cette science-là, en effet, englobe et domine toutes les autres, parce qu'elle est la science de l'âme elle-même, la science de l'infini, la science de Dieu, la science de nos rapports avec l'Être des êtres, la science de notre origine, la science de notre vie morale, la science de notre fin!

Pouvait-on appeler d'un autre nom que sagesse cette science qui enseigne à l'homme où il est, ce qu'il est, où il va, et comment il doit penser, agir, adorer, vivre, mourir et revivre?

C'est là ce que nous entendons, dans cet Entretien, par ce mot «philosophie.»

III.

Mais cette science des choses immatérielles, invisibles, impalpables, au-dessus de la portée de nos sens, est-elle susceptible du même genre de démonstrations et du même genre d'évidences que les sciences naturelles? Nous n'hésitons pas à vous dire: Non.

Les démonstrations de l'ordre naturel, telles que le témoignage des yeux, de l'oreille, de la main, ne sauraient s'appliquer aux choses qui ne tombent pas sous les sens.

Mais, bien que ces choses ne se démontrent pas de même, elles ont cependant, au moins en ce qui touche leurs principales vérités, un degré de certitude égal, et, je dirai plus, un degré de certitude supérieur à la certitude des phénomènes matériels.

Ainsi, par exemple, cette opération de l'esprit par laquelle l'intelligence se dit: «Il n'y a pas d'effet sans cause, et, puisque j'aperçois une multitude d'effets, il y a donc une cause suprême; c'est-à-dire il y a donc un Dieu!» cette opération de l'esprit atteste l'existence de Dieu avec autant et plus de certitude que si des milliers de mathématiciens, d'astronomes ou de chimistes tenaient Dieu lui-même sous leurs compas, sous leurs télescopes ou dans leurs cornues. Je me trompe: l'existence de Dieu est mille fois plus certaine par cette conclusion logique et infaillible de l'esprit que par les expériences faillibles des philosophes de la matière; car l'expérience, œuvre des sens, peut se tromper; la logique, œuvre de Dieu, est absolue, et ne nous tromperait que si Dieu nous trompait lui-même, chose incompatible avec la nature divine ou avec la suprême vérité.

J'en dirai autant de la CONSCIENCE, cette preuve sans preuve que nous portons en nous-mêmes du bien ou du mal moral: ses jugements, pour être certains, n'ont pas besoin d'autres témoignages qu'elle-même; ce qu'elle condamne est mal, ce qu'elle approuve est bien; que nous le voulions ou que nous ne le voulions pas, elle prononce en nous, pour nous ou contre nous, des arrêts contre lesquels il nous est impossible de protester.

C'est le dernier mot de la morale, comme la logique est le dernier mot de la raison. La conscience est, parce qu'elle est comme Dieu lui-même; c'est une faculté innée de notre âme donnée par Dieu, qui est à elle-même sa propre démonstration. Ôtez la logique, l'intelligence est folle; ôtez la conscience, la moralité est morte; le crime et la vertu deviennent des choses discutables et

72/203

douteuses comme des problèmes ordinaires, susceptibles de oui ou de non; ils ne sont crime et vertu que parce qu'ils sont au-dessus de toute discussion.

IV.

Il y a donc, en philosophie, un certain ordre de vérités intellectuelles, ou de vérités morales qui sont, ou susceptibles d'une démonstration absolue, comme l'existence de Dieu, ou supérieures et préexistantes à toute démonstration par la parole, comme la conscience. Ce sont des vérités innées; autrement dit: des certitudes, des ÉVIDENCES.

Mais, en dehors de ces vérités innées, il y a en philosophie un nombre infini de problèmes secondaires, quoique très-importants, qui ne sont pas susceptibles de démonstration absolue, mais dans lesquels la philosophie la plus transcendante n'arrive qu'à de consolantes conjectures et à de magnifiques probabilités.

Dans vingt passages de ses dialogues, Socrate lui-même, par l'organe de Platon, avoue, comme moi, que ces démonstrations ne sont que des conjectures.

«J'espère, dit-il, sans pouvoir le prouver, que je retrouverai, dans une autre vie, les hommes vertueux qui y seront mieux traités que les méchants. Mais, quant à y trouver une divinité parfaite, c'est ce que j'ose affirmer, si l'on peut affirmer quelque chose.»

C'est néanmoins de ces consolantes conjectures, et de ces magnifiques probabilités, que le monde vit depuis qu'il est né, et qu'il vivra jusqu'à son dernier jour. Nous vivons sur parole: respectons donc la parole, quand Dieu la met sur les lèvres des grands philosophes tels que Confucius, Socrate ou Platon; ces philosophes sont les révélateurs de la raison; ils ne commandent pas impérativement la foi au nom de Dieu, ils la demandent humblement à la conviction raisonnée de l'intelligence et du cœur de l'homme. Ils pensent pour nous, et ils nous rapportent les conquêtes de leurs pensées; prêtons-leur l'oreille et ouvrons-leur nos cœurs. S'ils ont donné leur vie comme Socrate, en témoignage de leur sincérité, de leur foi, de leur amour de Dieu et des hommes, proclamons-les maîtres et martyrs de la raison humaine, et lisons, avec une respectueuse piété d'esprit, les arguments raisonnes de leur philosophie.

V.

73/203

Un de ces plus sublimes recueils de philosophie dans tous les temps, c'est le recueil des Dialogues de Platon, dialogues dans lesquels ce disciple de Socrate fait parler son maître avec une sagesse surhumaine, et avec une éloquence presque divine, sur les questions les plus hautes de philosophie, de théologie naturelle.

Platon fut à Socrate ce que saint Paul fut au Christ; tous deux écrivent, commentent et développent la doctrine de son maître qui n'a rien écrit, et, ici, il serait curieux peut-être d'examiner pourquoi ni le révélateur d'une philosophie raisonnée, ni le révélateur d'une religion révélée, n'ont pas voulu, ou n'ont pas daigné écrire eux-mêmes une seule ligne, si ce n'est ce doigt sur le sable qui traça des caractères de miséricorde.

Était-ce parce qu'ils se défiaient des commentateurs qui s'attachent à la lettre, et qui y emprisonnent volontiers l'esprit? Était-ce parce que les langues humaines leur paraissaient insuffisantes à contenir les vérités divines qu'ils annonçaient aux hommes? N'était-ce pas plutôt parce que les paroles, une fois écrites, deviennent mortes et froides comme la cendre dont la flamme s'est envolée, et qu'ils aimaient mieux s'en fier à l'écho vivant des lèvres humaines qu'à la lettre morte de leurs écrits?

Quoi qu'il en soit, Socrate n'écrivit jamais rien; il ne fit pas non plus de harangues: c'était un discoureur, et nullement un orateur. On le voit dans son Apologie devant ses juges, qui est une bonne causerie et un fort mauvais discours.

Simple artisan, ou plutôt artiste, mais artiste d'un talent bien inférieur aux grands statuaires de son temps à Athènes, il sculptait dans son atelier à peine autant qu'il était nécessaire pour nourrir sa femme et ses enfants; sans cesse distrait du ciseau par la pensée, ouvrant sa porte à tout le monde, interrompant son travail pour répondre aux questions qu'on lui adressait sur toutes choses, courant ensuite de porte en porte et accostant lui-même les passants pour leur parler des choses divines, consumé du zèle de la vérité, missionnaire des foules, semant le bon grain à tout vent de la rue ou de la place publique: homme qu'on aurait considéré comme un fou, s'il n'avait pas été un modèle de toute vertu et un oracle de toute sagesse.

VI.

Son disciple, Platon, était un homme d'une tout autre nature: beaucoup plus lettré, beaucoup moins inspiré que son maître; élégant, éloquent, poétique, épilogueur, rêveur, dissertateur, nuageux en philosophie, utopiste en politique; espèce de J.-J. Rousseau d'Athènes, possédant un style admirable pour les chimères, mais n'ayant pas la moindre connaissance des hommes, ni le moindre tact des réalités, et donnant à sa république idéale des lois en perpétuelle contradiction avec la nature humaine et avec la fondation, la conservation et le but des sociétés.

Mais, tel qu'il fut et tel que nous allons le voir dans ses œuvres, Platon était le plus merveilleux écho vivant que la providence de la Grèce eût pu préparer à un sage tel que Socrate, pour donner un éternel retentissement à la philosophie spiritualiste.

Ses Dialogues ont été le perpétuel entretien de la Grèce: ils ont préparé l'esprit humain à la métaphysique de saint Paul et à l'école philosophique d'Alexandrie. Il a servi de texte ou de commentaire aux premiers conciles chrétiens; il a été le crépuscule de bien des dogmes; il a nourri à lui seul la philosophie romaine de Cicéron; il a lutté dans le moyen âge avec la philosophie expérimentale d'Aristote, puis de Bacon; il a été submergé un moment par la philosophie presque matérialiste de Locke, de Hobbes en Angleterre; d'Helvétius, de Diderot, des encyclopédistes en France; mais il est ressuscité plus vivant et plus populaire que jamais il y a peu d'années, par la traduction, par les commentaires et par les leçons d'un jeune philosophe, M. Cousin, éloquent restaurateur du platonisme sur les ruines du matérialisme au dix-neuvième siècle.

Grâce à la langue de Platon, la sagesse de Socrate ne peut plus mourir. C'est le style qui embaume les idées pour l'éternité.

VII.

Ces dialogues ont cependant de grands défauts, qui semblent tenir au génie un peu verbeux de la Grèce, et au génie un peu sophistique de Platon, plus qu'à l'âme naturellement ouverte, simple, sincère et courageuse de Socrate. Parmi ses défauts, je noterai d'abord leur forme même, qui embarrasse, distrait, interrompt, ralentit sans cesse l'argumentation.

Le dialogue est une pensée à deux, à trois ou à quatre interlocuteurs; sans doute cette manière de penser à deux ou à trois peut éclaircir quelquefois la question, en faisant adresser par l'un des personnages des interrogations utiles, auxquelles le maître répond, réponses qui répondent ainsi d'avance aux doutes et aux ignorances que les autres s'adressent peut-être en silence.

C'est le moyen de faire remonter l'esprit des auditeurs jusqu'aux premiers éléments de la question qu'on débat, afin qu'un argument porte rigoureusement sur l'autre, et que la pierre fondamentale du syllogisme soit aussi bien assise dans l'esprit que la dernière; c'est le moyen de détruire en passant toutes les objections qui se présentent à l'intelligence; c'est le moyen enfin de bien définir tous les mots avant de les employer dans le raisonnement, afin qu'après la conclusion il ne puisse subsister aucune équivoque ou aucun malentendu dans la conviction absolue des disciples: aussi est-ce le mode d'enseignement et d'argumentation qu'on emploie ordinairement avec les enfants, comme on peut le voir dans nos catéchismes ou dans nos manuels.

Mais, par cela même que c'est le mode d'argumentation puéril et diffus qu'on emploie avec les petits enfants, c'est aussi le mode le plus propre à fatiguer, à ennuyer, à impatienter les hommes faits, qui cherchent les idées, et qui se lassent de vaines paroles.

Ce mode suppose dans les disciples, ou dans les auditeurs, des puérilités et des ignorances qui ne sont plus de leur âge; il perd le temps, et il dégoûte la pensée du but, en la traînant impitoyablement par tant de circonvolutions, de demandes et de réponses sur la route; l'esprit abandonne cent fois l'argumentateur en chemin, et souvent il l'abandonne tout à fait à ces fastidieux ambages, rebuté, avant d'arriver, par les détours inutiles qu'on lui fait faire.

C'est ce qui arrive très-souvent à l'homme le mieux disposé qui ouvre au hasard un des dialogues de Platon. Le livre tombe des mains avant d'avoir dit son dernier mot, tant on a perdu de mots oiseux à l'attendre; l'esprit est saisi à chaque instant d'une de ces impatiences fébriles qui bouillonnent en nous jusqu'à un véritable accès de colère, croyant toujours toucher à un but qu'on lui dérobe toujours; or, irriter et impatienter l'esprit, ce n'est pas un bon procédé pour le convaincre. Voltaire, à cet égard, pensait comme nous; il bénit la philosophie de Socrate, et il maudit le verbiage, quelquefois sublime, plus souvent sophistique, de Platon.

VIII.

Un autre vice de ce mode d'argumentation des Dialogues de Platon, c'est l'argutie métaphysique.

Le maître, au lieu de simplifier les questions par la simplicité et par la sincérité de l'argumentation, semble se complaire, pour faire preuve d'ingéniosité, de fécondité et de dialectique, à les compliquer de cinquante questions préalables ou secondaires, et à les embrouiller dans un tel écheveau d'arguments que lui seul puisse à la fin en retrouver le fil et dénouer le nœud gordien qu'il a formé.

Ce procédé, qui fait briller sans doute l'adresse du maître, embarrasse l'intelligence du disciple; il fait du chemin de la vérité, au lieu d'une route droite, large et bien jalonnée, un labyrinthe de sentiers étroits, tortueux, obscurs où l'écrivain a l'air de conduire le lecteur à un piége, au lieu de le mener à la lumière, à la vérité et à la vertu.

IX.

Un troisième défaut plus grave des Dialogues, défaut qui touche au fond même de l'enseignement de la vérité aux hommes, c'est le procédé d'argumentation employé par Socrate dans Platon, pour enseigner ses disciples.

Les premières qualités d'un sage, qui enseigne des vérités nouvelles à l'humanité, c'est la charité d'esprit, l'amour, la pitié, la condescendance, l'indulgence, le respect, la tendresse d'âme envers les hommes ses semblables. Cette onction d'esprit, cette compatissance, cette clémence de cœur, doivent se manifester dans les leçons du sage à ses frères par un mode d'argumentation qui l'abaisse vers ses auditeurs pour les élever jusqu'à lui.

C'est le procédé contraire ici qui est employé par Socrate (toujours dans Platon) pour enseigner les hommes: au lieu de persuader, il a l'air de vouloir confondre. Le ton de son argumentation est railleur, goguenard, ironique; il tend des embûches de paroles à ses auditeurs; il jouit de les voir s'y prendre; il ne se hâte pas de les en retirer; il plaisante, non pas amèrement, mais superbement, avec eux de leur chute; il les humilie par sa supériorité, au lieu de les relever par leur propre force; en un mot la philosophie, sous la plume de Platon, a l'air de consister dans une grande moquerie des ignorants, au lieu de consister dans une tendre initiation des faibles. Or il en résulte, dans l'effet général des Dialogues, je ne sais quel sourire sarcastique de l'esprit, qui humilie l'auditeur, au lieu de le disposer à la confiance; on craint toujours de marcher sur un piége de sophiste, quand on devrait s'abandonner sans défiance à la main du sage qui vous conduit; on ne sait jamais si ce sage parle sérieusement ou ironiquement; il y a trop de gascon dans ce grec; on craint le maître qu'on devrait adorer.

Enfin, ce mode d'enseignement par dialogues est lent, verbeux, diffus; il emploie inutilement cent fois plus de paroles que la vérité n'a besoin d'en employer pour se manifester à l'esprit.

La forme directe du discours, ou même la forme parabolique de l'Évangile, forme indirecte, mais qui a l'avantage de ne jamais blesser le disciple et de lui laisser se faire sa part à lui-même, sont mille fois supérieures en lumière, en brièveté et en persuasion.

Quand on vient de lire un ou deux dialogues de Platon, et qu'on a l'esprit véritablement assourdi par ce roulis d'un océan de paroles pour dire la vérité philosophique la plus usuelle, on se dit à soi-même: Il faut que ces Grecs d'Athènes eussent bien des heures de loisir à dépenser par jour sur le seuil de leurs portes, ou sous les platanes de leurs jardins; il faut qu'ils eussent un bien grand amour de ces escrimes d'idées de leurs sophistes, pour perdre tant de temps et tant de paroles à écouter ce Socrate ou à lire ce Platon!

Et, en effet, ce défaut de Socrate et de Platon tient aux défauts du temps et du peuple d'Athènes. Ce peuple, oisif toutes les fois qu'il n'était pas occupé à se défendre contre les Perses ou à se déchirer lui-même par ses factions, aimait à se passionner à froid, pour ou contre ses sophistes; ces sophistes, consommés dans le métier de l'éloquence, étaient aux philosophes et aux politiques ce que les comédiens sont aux héros. Ils jouaient la sagesse et la vertu dans les académies et dans les places publiques; ils accoutumaient les Athéniens à ces jeux d'idées et de paradoxes qui rendaient l'oreille fine et l'esprit sceptique; pour effacer ces sophistes, il fallait bien parler leur langue à ce peuple infatué.

Voilà sans doute pourquoi, dans Platon, la sagesse ressemble tant au sophisme!

Mais lisons d'abord ensemble les deux ou trois plus beaux de ses dialogues, en nous hâtant d'arriver au Phédon, le chef-d'œuvre de toute la philosophie de Socrate.

X.

Dans le premier dialogue, intitulé l'Euthyphron, Socrate demande à Euthyphron:

«Qu'est-ce que le bien, ou, autrement dit, qu'est-ce que le saint?»

Euthyphron lui fait cette réponse vulgaire et sacerdotale: «Le bien, ou le saint, est ce qui est agréable aux dieux.»

Socrate relève cette réponse, et demande à Euthyphron comment, les dieux de l'Olympe et de l'État étant multiples, et souvent opposés de nature et de volonté les uns aux autres, ce qui est agréable à l'un, désagréable à l'autre, peut être agréable à tous.

Il contraint Euthyphron, par une série de raisonnements, à se démentir, et il n'arrive lui-même qu'à une conclusion très-confuse, qui laisse l'esprit aux prises avec le mystère du bien et du mal en soi. Une seule chose est claire: c'est qu'il se moque des dieux, et qu'il sape le polythéisme par ses conséquences dans la raison de ses disciples.

Aussi était-il déjà cité devant les juges pour cause d'impiété envers les dieux d'Athènes.

Un jeune homme d'Athènes, plus politique que religieux, nommé Mélitus, qui voulait se faire un nom populaire en se posant en vengeur des dieux chers à l'ignorance et au fanatisme du bas peuple, porte l'accusation contre Socrate; il l'accuse de corrompre la jeunesse par des doctrines qui sapent le ciel. Anytus, un autre de ses accusateurs, était un artisan riche, puissant et accrédité par son républicanisme dans Athènes; il avait contribué à secouer le joug des trente tyrans qui rétablissaient le régime aristocratique. Le peuple croyait défendre sa liberté en défendant ses dieux, à la voix d'un de ses tribuns qui l'ameutait contre Socrate. Socrate paraissait au peuple coupable, sinon de faveur pour le gouvernement aristocratique, au moins d'indifférence politique.

La cause de ce grand homme, en effet, n'était ni la cause de la populace, ni la cause des grands: c'était la cause de Dieu et de la raison. Il aurait pu dire, comme le Christ plus tard:

«Mon royaume n'est pas de ce monde.»

Son monde, à lui, c'était la vérité et la vertu. Mais le peuple ne voit de vérité et de vertu que dans ses passions; il devait donc haïr Socrate; il demandait un châtiment exemplaire contre ce philosophe.

On peut remarquer, dans ce procès, que le peuple est en général plus implacable envers les doctrines nouvelles que les grands; moins il a d'idées, plus il s'irrite contre ceux qui les lui arrachent. Le cri des Juifs contre le Christ, devant ses juges: Crucifiez-le! est le pendant des animadversions de la populace d'Athènes contre Socrate. Sans la pression de ce peuple, il est évident que les juges, qui le condamnèrent à une si faible majorité, ne l'auraient pas condamné à mort.

XI.

Quoi qu'il en soit, Platon donne (et sans doute ici littéralement) le plaidoyer, ou l'apologie que Socrate avait préparée, et qu'il prononça devant le tribunal.

Dans cette apologie même, Socrate conserve encore la forme du dialogue, et poursuit Mélitus de ses interrogations ironiques pour le contraindre à tomber dans l'absurde. Mais lui-même reste dans l'équivoque sur sa profession de foi, affectant de tourner les questions les plus précises en plaisanteries, jusqu'au moment où il voit que la plaisanterie serait déplacée devant la conscience et devant la mort, et où il s'avoue franchement coupable de sagesse, et impénitent de vérité. Là, on retrouve l'éloquence de l'héroïsme du philosophe mourant.

«Mais je n'ai pas besoin d'une plus longue défense, ô Athéniens! Je vous disais en commençant que j'avais contre moi d'ardentes et implacables inimitiés; ce qui me perdra, si je succombe, ce ne sera ni Mélitus, ni Anytus, ce sera l'envie et la calomnie, qui ont déjà fait périr tant d'hommes de bien, et qui en feront périr après moi tant d'autres; car n'espérez pas que l'iniquité s'arrête à moi!

«Mais quelqu'un de vous me dira peut-être: N'as-tu pas honte, Socrate, de t'être attaché à une philosophie qui te mène à la nécessité de mourir?

«Vous êtes dans l'erreur, vous qui croyez qu'un homme qui a quelque valeur doit peser les chances de vivre ou de mourir, au lieu de chercher dans ses actions si ce qu'il fait est juste ou injuste.»

Puis il cite les vers d'Achille dans l'Iliade d'Homère:

«Que je meure à l'instant même, pourvu que je venge le meurtre de Patrocle, et que je ne demeure pas ici un juste objet de mépris, assis sur mes vaisseaux, inutile fardeau de la terre!»

«Est-ce là, poursuit Socrate, s'inquiéter des chances de vie ou de mort?

«Tout homme qui a choisi un poste parce qu'il l'a cru le plus honnête, ou qui y a été placé par son chef, doit, selon moi, y demeurer ferme, et ne considérer autre chose que le devoir. Ce serait donc de ma part une étrange contradiction, ô Athéniens, si, après avoir gardé fidèlement, comme un bon soldat, tous les postes où j'ai été placé par vos généraux, à Potidée, à Amphipolis, à Délium, aujourd'hui que le dieu de l'oracle intérieur m'ordonne de passer mes jours dans la philosophie, la peur de la mort ou de quelque autre danger me faisait abandonner ce poste; et ce serait bien alors qu'il faudrait me citer devant ce tribunal, comme un impie qui ne reconnaît point de Dieu, qui désobéit à l'oracle, qui se dit sage et qui ne l'est pas; car craindre la mort, Athéniens, c'est croire connaître ce qu'on ne connaît pas.

«En effet, nul ne sait ce qu'est la mort, et si elle n'est pas le plus grand de tous les biens pour l'homme...

«Mais ce que je sais bien, c'est qu'être injuste, c'est désobéir à ce qui est meilleur que soi, Dieu ou homme, et manquer au devoir et à l'honnête.

«Voilà le seul mal que je redoute et que je veux éviter; tellement que, si vous me disiez en ce moment:—Socrate, nous rejetons l'accusation d'Anytus et nous te renvoyons absous, mais c'est à la condition que tu cesseras de philosopher, et, si l'on découvre que tu retombes dans tes habitudes de discuter sur les choses divines, tu mourras!—oui, si vous me renvoyiez absous à ces conditions, je vous répondrais:—Athéniens, je vous respecte et je vous aime, mais j'obéirai plutôt au Dieu qu'à vous... Et je suis persuadé qu'il ne peut y avoir rien de plus utile à votre république que mon zèle à accomplir ce que le Dieu m'ordonne ainsi; car je ne vous recommande que le soin de votre âme et son perfectionnement. Ainsi donc, faites ce qu'Anytus vous demande ou ne le faites pas, renvoyez-moi ou ne me renvoyez pas, je ne ferai jamais autre chose que ce que j'ai fait, quand je devrais mille fois mourir!...»

XII.

Il développe, avec un insolent courage, cette idée, et se pose en homme utile aux Athéniens dans leur vie privée; quant à la politique, il dit qu'il s'en est abstenu, par cette raison qu'on ne peut guère rester innocent et vertueux quand on se mêle des affaires publiques...

«Je n'emploierai pas envers vous, reprend-il, ô Athéniens, les supplications ordinaires, où l'on fait paraître les femmes, les enfants, les amis pour attendrir les juges. J'ai aussi des parents cependant; car, pour me servir de l'expression d'Homère: Je ne suis point né d'un chien ou d'un rocher, mais d'un homme!»

«Ainsi, Athéniens, j'ai des parents, et, quant à des enfants, j'en ai trois, l'un déjà dans l'adolescence, les deux autres encore en bas âge; mais je ne les ferai point comparaître ici, pour votre honneur et pour le mien; il ne me paraît pas séant d'employer de pareils moyens à mon âge (il avait près de soixante-douze ans à l'époque de son procès). Athéniens, vous aimez la gloire, et, si je voulais agir ainsi, vous ne devriez pas le souffrir; vous devriez déclarer que celui qui recourt à ces scènes pathétiques pour exciter la compassion vous dégrade, et que vous le condamnerez plutôt que celui qui attend tranquillement votre sentence.

«Si je vous fléchissais par mes prières, et si je vous engageais ainsi à violer votre serment de rendre la justice selon vos consciences, et non selon vos sensations, c'est alors que je vous enseignerais l'impiété, et qu'en voulant me justifier, je prouverais moi-même que je ne crois pas aux dieux: mais j'y crois plus que mes accusateurs!»

Ici les juges vont aux voix et déclarent Socrate coupable.

Impassible, il reprend la parole:

«Le jugement que vous venez de prononcer, Athéniens, m'a un peu ému; mais ce qui m'étonne bien plus, c'est d'être condamné à une si faible majorité; car, à ce qu'il paraît, il n'aurait fallu que trois voix de plus pour que je fusse absous.

«Et maintenant, c'est donc la peine de mort que Mélitus, Anytus et Lycon demandent contre moi!... Mais moi, Athéniens, à quelle peine me condamnerai-je moi-même?»

XIII.

Écoutez ici la fière revendication qu'il fait de lui-même, en mettant à nu sa conscience devant les cinq cent cinquante-six juges qui viennent de le condamner, et devant le peuple, que dis-je? et devant le Dieu qui l'écoute.

«Quelle amende mérité-je, en réalité, moi, qui me suis fait un principe de ne me donner aucun repos pendant toute ma vie, négligeant ce que les autres recherchent avec tant d'empressement: les richesses, le soin de leurs affaires, les emplois militaires, les fonctions d'orateur et toutes les autres dignités!

«Moi, qui ne suis jamais entré dans aucune des conspirations ou des cabales si fréquentes dans la République, me trouvant véritablement trop honnête homme pour ne pas me dégrader en me mêlant à tout cela!

«Moi, qui me suis consacré uniquement à vous rendre le plus important des services, en vous exhortant tous de ne pas songer à ce qui vous appartient passagèrement, le monde et ses biens, pour ne vous attacher qu'à ce qui est l'essence de votre être, votre âme; à ne pas songer aux intérêts accidentels de la patrie, mais plutôt à la vraie patrie elle-même!

«Que mérite un tel homme, si ce n'est d'être nourri, aux frais du public, dans le Prytanée?...

«Ayant donc la conscience de n'avoir jamais été injuste envers personne, je ne dois pas l'être envers moi-même en avouant que je mérite un châtiment!...»

Examinant ensuite si l'amende ou l'exil serait une peine plus douce ou plus convenable pour lui: «Ce serait, dit-il, une belle existence pour moi, vieux comme je suis, de quitter mon pays, d'aller errant de ville en ville, et de vivre de la vie d'un proscrit!»

Il pousse encore plus loin sa fermeté calme, et son défi consciencieux au peuple et aux juges.

«Mais, me dira-t-on peut-être, Socrate, quand tu nous auras quitté absous, ne pourras-tu pas te tenir en repos et garder le silence?

«Voilà ce qu'il y a de plus difficile à vous faire comprendre; car si, en vous disant non, je dis que ce serait là désobéir au Dieu, et que, par cette raison, il m'est défendu de me taire, vous ne me croirez pas, et vous prendrez cette réponse pour une plaisanterie; et, d'un autre côté, si je vous dis que le plus grand bien de l'homme est de s'entretenir chaque jour de la vertu et des autres choses morales dont vous m'avez entendu discourir, vous me croirez encore moins. Voilà pourtant la vérité, Athéniens!

«Mais il n'est pas aisé de vous en convaincre!

«Maintenant voilà Platon, voilà Criton, voilà Cléobule et Apollodore qui veulent que je me condamne à une amende de trente mines, et qui en répondent; eh bien! je m'y condamne, et assurément voilà de valables cautions que je vous présente!»

Ici, il est interrompu par les juges, qui, impatientés de cette impassibilité badine, prononcent la peine de mort.

XIV.

Socrate reprend avec la même indifférence:

«Dans ma défense, ce ne sont pas les paroles qui m'ont manqué, Athéniens, mais l'impudeur. Je succombe pour n'avoir pas voulu vous dire les choses que vous aimez à entendre. Mais le péril où j'étais ne m'a pas paru une raison de rien faire qui fût indigne d'un homme libre.

«Ni devant les juges, ni dans les combats, il n'est permis, ni à moi ni à d'autres, d'employer tous les moyens pour éviter la mort; et ce n'est pas là ce qui est difficile que d'éviter la mort, il l'est beaucoup plus d'éviter le crime, qui court plus vite que la mort! C'est pourquoi, déjà vieux et cassé comme je suis, je me suis laissé atteindre par le plus lent des deux, la mort; tandis que le crime s'est attaché à mes accusateurs, plus jeunes et plus agiles que moi. Je m'en vais donc subir la mort. Je m'en tiens à ma peine, et eux à la leur.»

Il disserte ensuite un moment avec une sérénité complète sur les avantages comparés de la vie et de la mort.

«Mais il est temps que nous nous quittions, dit-il en finissant, moi pour mourir, vous pour vivre. Qui de nous a le meilleur partage? Nul ne le sait, excepté Dieu.»

On l'emmène, et il va mourir. Voilà l'Euthyphron; la préface, ou plutôt l'exposition du drame philosophique.

XV.

Arrivons au dialogue intitulé le Phédon. Nous avons vu l'homme, nous allons voir la doctrine; puis nous assisterons à la mort, et nous verrons comment elle est le sceau de cette admirable vie de philosophe.

Le Phédon contient à lui seul plus de véritable philosophie spiritualiste que tous les autres dialogues de Platon. L'heure, la mort, la gravité du passage de cette vie à l'autre, que pressent Socrate et qui émeuvent Platon, ne permettent ni au philosophe ni à son disciple de perdre leur temps et le nôtre dans les puériles arguties de leur dialectique oiseuse. Qui a lu le Phédon connaît ce qu'il y a de mieux à connaître de la philosophie de Socrate et du génie de Platon. Suivez-moi donc, je vais vous déblayer la route.

Mais un mot d'abord sur l'origine antique et mystérieuse des belles et saintes idées que Socrate et Platon vont développer dans ce dialogue; car rien ne vient de rien, et la philosophie grecque, qui devait bientôt, après Platon, servir d'ancêtre à la philosophie des écoles chrétiennes de Byzance et d'Alexandrie, avait certainement elle-même des ancêtres. Ces ancêtres, selon nous, qui avons profondément scruté l'Orient religieux, philosophique et poétique, se retrouvent d'abord au fond de l'Inde primitive, puis au fond des dogmes, encore indiens, de l'Égypte.

Indépendamment de cette révélation innée, qui est, selon Platon et selon nous, la première idée de notre âme, car on ne peut concevoir l'âme sans idée, il y a eu une révélation primitive, et il y a une série de révélations successives, médiates ou immédiates, anneaux de la chaîne qui suspend les premières vérités nécessaires aux dernières vérités qui achèveront l'œuvre du monde moral.

Nous vous parlerons ailleurs de la philosophie des Indes; un mot aujourd'hui sur celle de l'Égypte.

XVI.

Vous savez que les Égyptiens, évidemment colonie intellectuelle du haut Orient, divinisèrent symboliquement la nature entière sous le nom d'Isis; ils lui jetèrent dans ses figures un voile sur le visage, comme pour signifier le mystère sous lequel elle cache mais laisse entrevoir ses vérités. Le plus sage des peuples est évidemment celui qui a le premier écrit sur l'univers ce mot mystère, car mystère est aussi le dernier mot de toute science, de toute sagesse et de toute vérité jusqu'à la consommation des temps. C'est le plus bel hymne que l'homme puisse chanter à l'incompréhensible, c'est-à-dire à Dieu.

Cependant un livre unique, échappé aux incendies, aux débordements, aux sépulcres de l'Égypte, soulève un coin de ce voile jeté sur le front de l'Isis égyptienne, et révèle une partie des mystères de la philosophie primitive. La ressemblance de cette philosophie occulte avec la philosophie de Socrate et de Platon est trop complète pour que cette similitude soit l'œuvre du hasard. On en conviendra après avoir lu le Phédon. On le conjecturera avec plus de vraisemblance encore, quand on saura que Platon, l'éditeur plus ou moins fidèle des dogmes de Socrate, était allé, avant d'écrire, consulter les prêtres et les philosophes égyptiens.

XVII.

Ce livre est l'Hermès ou Mercure Trismégiste. Saint Augustin dans son livre de la Cité de Dieu, Voltaire dans ses recherches philosophiques, Scaliger lui-même, n'hésitent pas à reconnaître dans ce livre la main d'un sage Égyptien. Les deux philosophes grecs, Timée et Pythagore, qui avaient voyagé aussi en Égypte, ont dans leurs doctrines les mêmes analogies avec les dogmes de ce livre. Quels sont donc ces dogmes, que nous allons retrouver sous d'autres noms, mais sous le même sens, tout à l'heure dans le Phédon? Ces dogmes, les voici:

Un Dieu unique;

Une triple essence en Dieu, la puissance, la sagesse, la bonté;

Le Dieu créateur de la nature;

Le Verbe, la Pensée, la Parole divine, en grec le Logos, modèle ou type de cette création;

Une hiérarchie de dieux secondaires créés et subordonnés au Dieu unique;

Ces dieux secondaires, ou ces anges, ces démons, ces esprits, chargés de diriger les astres et de présider aux phénomènes de l'univers;

Un fils de Dieu, qui est la lumière;

La pensée de Dieu se reflétant dans l'homme, qui est l'image de son Créateur;

La parenté de l'homme et de Dieu par la raison.

L'Évangile de saint Jean, lui-même, rappelle dans son magnifique début ces vérités indiennes, égyptiennes, platoniques, ainsi que chrétiennes:

«Au commencement était le Verbe, et le Verbe était en Dieu, et le Verbe était Dieu (le Logos, la pensée, la parole, le type des choses); tout a été fait par lui, et rien de ce qui a été fait n'a été fait sans lui; en lui était la vie, et la vie était la lumière.»

Saint Paul écrit quelques années après aux Hébreux: «Dieu a créé les siècles par son Fils, «le Verbe, la parole divine, la lumière, la «vie!»

Peut-on méconnaître les analogies frappantes entre ces doctrines engendrées les unes des autres jusqu'à l'explosion philosophique du dogme chrétien?

Les vices choquants qui scandalisent l'intelligence et le cœur de l'homme dans le mécanisme de la nature, dans le bien imparfait, dans le mal universel, dans la souffrance, dans la mort, firent présumer aux Égyptiens, aux Grecs, que ce monde n'était pas l'œuvre directe du Dieu suprême, mais l'œuvre maladroite et imparfaite des divinités inférieures auxquelles il avait accordé la faculté de créer d'après lui.

Cette opinion est naturelle à l'homme, qui ne peut pas comprendre l'existence du mal et qui la sent.

Comment une œuvre si vicieuse et si malfaisante peut-elle émaner de la sagesse, de la puissance et de la bonté suprêmes? Il y a là une contradiction apparente, qui donne naissance à la philosophie des deux principes, de Zoroastre; mais Zoroastre oubliait que, pour juger l'œuvre de Dieu, il faut la voir dans son ensemble et dans son éternité. Nous ne la voyons que dans un atome et dans une seconde: c'est l'universalité et l'éternité qui justifient sans aucun doute l'œuvre divine.

Revenons au dialogue de Phédon.

XVIII.

Ce dialogue a lieu entre Échécratès et Phédon, deux amis de Socrate; ils se rencontrent à Phliunte, ville de Sycionie, quelque temps après la mort de leur maître. Échécratès demande à Phédon:

«Étais-tu auprès de Socrate, le jour où il but la ciguë dans sa prison, ou bien en as-tu seulement entendu parler?

«—J'y étais moi-même,» répond Phédon. Et il raconte minutieusement, heure par heure, parole par parole, la suprême journée du philosophe.

Ce récit a dans la bouche de Phédon toute la poésie de l'épopée, tout le pathétique du drame, toute la sérénité de ton d'une leçon de philosophie. C'est, selon moi, l'apogée de la parole humaine; on est à la fois, dans ce dialogue, sur la terre par le cœur, dans la mort par l'anticipation du supplice, dans l'immortalité par l'esprit; toujours prêt à pleurer d'enthousiasme pour les idées: mais l'admiration pour le philosophe y sèche toujours les larmes au bord des yeux. Entre la vie et l'éternité, on se sent homme si on regarde Socrate, on se sent dieu quand on l'écoute.

Si j'avais un athée à convertir, je ne voudrais pas d'autre argument avec lui que de lui faire lire et relire le Phédon. La conviction le gagnerait avec les larmes. Ce dialogue n'a pas l'accent de la langue d'ici-bas; la race humaine, dont une main d'homme a pu écrire ces lignes, est immortelle: Phédon le sent.

XIX.

«Véritablement, dit-il en commençant le récit, ce spectacle fit sur moi une impression extraordinaire; je n'éprouvai pas la compassion qu'il était naturel d'éprouver à la mort d'un ami. Au contraire, Échécratès, cet ami me paraissait heureux, à le voir et à l'entendre, tant il mourut avec assurance et dignité! et je pensais qu'il ne sortait de ce monde que sous la protection des Dieux, qui lui destinaient, dans l'autre monde, une félicité aussi grande que celle dont puisse jouir aucun mortel. C'était en moi un mélange extraordinaire, jusqu'alors inconnu, de plaisir et de douleur, lorsque je venais à penser que dans un moment cet homme admirable allait nous quitter pour toujours; on nous voyait tous tantôt sourire, tantôt fondre en larmes.

«—Sur quoi roula l'entretien entre ces amis que tu viens de nommer?» demande Échécratès.

Phédon raconte alors que, le matin du jour de la mort, les amis de Socrate se réunirent plus tôt que de coutume sur la place devant la prison, pour ne pas perdre une heure de sa vie et de sa pensée. Le geôlier, qui leur ouvre les portes, les prie d'attendre un peu, parce qu'on ôte en ce moment les fers du condamné: les fers tombés, ils sont introduits.

Xanthippe, l'épouse de Socrate, un de ses enfants dans les bras, est auprès de lui et se lamente à la manière des femmes; on la reconduit dans sa maison pour laisser la liberté d'esprit au philosophe.

«Alors, dit Phédon, il se mit sur son séant, plia sous lui la jambe qu'on venait de dégager des fers, la frotta de la main, et nous dit en la frottant avec une sensation de plaisir: «L'étrange chose, mes amis, que le plaisir et la douleur se tiennent de si près que l'un naisse ainsi de l'autre, quoique l'un soit le contraire de l'autre! Ésope aurait dû en faire une fable.» Cébès, un des interlocuteurs, lui demande à ce propos pourquoi, depuis qu'il est en prison, il compose des fables, des poésies, un hymne à Apollon. Socrate répond que c'est pour éprouver si par hasard la poésie n'était pas celui des beaux-arts auquel son génie l'appelait.

L'entretien glisse ensuite, par une pente naturelle, sur la question du suicide, pour l'homme fatigué de la vie. Socrate démontre que l'homme ne doit pas sortir de la vie avant que Dieu lui envoie un ordre formel d'en sortir, comme celui qu'il reçoit lui-même aujourd'hui.

«Il espère fortement, ajoute-t-il, une destinée réservée aux hommes après la mort; destinée qui, selon la foi antique et universelle du genre humain, doit être meilleure pour les bons que pour les méchants.»

Au moment où il va développer pour ses amis les fondements de cette espérance, Criton lui semble vouloir l'interrompre; il l'interroge sur ce qu'il paraît avoir besoin de dire.

«Ce n'est pas autre chose, lui répond Criton, sinon que celui qui est chargé de te donner le poison ne cesse de me répéter depuis longtemps que tu dois parler le moins possible, car il assure que ceux qui parlent trop, avant de boire, s'échauffent et contrarient ainsi l'effet du poison, et qu'alors on est quelquefois contraint de le donner trois ou quatre fois à ceux qui ralentissent ainsi leur mort par trop de conversation.

«—Laissez-le dire, et qu'il prépare son breuvage comme s'il devait me donner la ciguë deux fois, et même trois fois, s'il est nécessaire, répond Socrate. Mais il est temps que je vous rende compte, à vous qui êtes mes juges, des motifs de mon espérance.»

Ici, comme toujours, il procède par interrogation à ses auditeurs, pour que la vérité sorte, pour ainsi dire, par contrainte de leur propre bouche, et qu'elle ait ainsi plus d'autorité sur eux.

«La mort est-elle autre chose que la séparation de l'âme et du corps, de manière qu'après cette séparation l'âme demeure seule d'un côté et le corps de l'autre?

«Et ne penses-tu pas que l'objet des soins d'un philosophe ne doit point être son corps périssable, mais qu'il doit au contraire s'en affranchir autant que possible, et s'occuper uniquement de son âme?

«Et les sens de ce corps, qui nous trompent, ne sont-ils pas un obstacle à la vérité?

«Et n'est-ce pas toujours par l'acte de la pensée que la vérité se manifeste à l'âme?

«Et l'âme ne pense-t-elle pas plus fortement et plus clairement que jamais, quand elle n'est troublée ni par la vue, ni par l'ouïe, ni par la volupté des sensations, et lorsque, concentrée en elle-même et dégagée autant que possible de son commerce avec le corps, elle s'applique directement à ce qui est, pour le connaître?

«Et les choses abstraites qui ne sont pas du domaine des sens, par exemple, le sentiment du juste, du bien, du beau, est-ce par l'intermédiaire du corps que vous les percevez? Et ne les percevez-vous pas d'autant plus clairement que vous y pensez davantage?

«Eh bien, y a-t-il rien de plus logique que de penser avec la pensée seule, dégagée de tout élément étranger et corporel? Si l'on peut parvenir jamais à connaître l'essence des choses, n'est-ce pas par ce moyen? Or que fait la mort, sinon de rendre l'âme à elle-même?

«Et l'homme, après avoir purifié son âme, c'est-à-dire après l'avoir autant que possible affranchie du corps comme d'une chaîne, n'en sera-t-il pas plus libre pour penser les choses spirituelles?

«Et n'est-ce pas le but de toute philosophie?

«Et si, au moment de cette purification, cet affranchissement, que tout philosophe doit désirer par-dessus tout, lui arrive par une mort du corps ordonnée par Dieu, ne serait-ce pas une risible contradiction à lui de la repousser avec effroi et avec colère?

«Et toutes les fois que vous verrez un homme se lamenter et reculer quand il faudra mourir, ne penserez-vous pas que c'est une preuve que cet homme n'aime pas la sagesse, mais qu'il aime son corps et tout ce qui est du corps, l'argent, les honneurs, ou ces deux choses à la fois?

«Beaucoup prennent le thyrse, mes amis, mais peu sont inspirés, dit la maxime à ceux qui se font initier aux mystères d'Orphée. Ceux qui sont inspirés, à mon avis, sont ceux qui ont bien philosophé; si tous mes efforts n'ont pas été inutiles, et si j'y ai réussi, c'est ce que j'espère savoir dans un moment, s'il plaît à Dieu.

«Voilà, mes amis, ce que j'avais à vous dire pour me justifier auprès de vous de ce que je ne m'afflige pas de vous quitter, vous et les modèles de ce monde, dans la confiance que je vais trouver d'autres amis et d'autres modèles dans l'autre monde, et c'est là ce que le vulgaire ne peut concevoir; mais j'espère avoir mieux réussi auprès de vous qu'auprès de mes juges d'Athènes.»

XX.

Cébès alors lui confie ses doutes sur l'immortalité de l'âme:

«Il me semble, dit-il, qu'en quittant le corps elle cesse d'exister; elle se dissipe comme une vapeur ou comme une fumée; elle s'évanouit sans laisser d'apparence.

«—Examinons donc, reprend Socrate, si cette immortalité est vraisemblable, ou si elle ne l'est pas.»

Il se livre ici à une longue argumentation, plus sophistique que réelle, pour prouver, à la façon des sophistes, que toute chose naît de son contraire: le jour de la nuit, la veille du sommeil, la vie de la mort, la mort de la vie.

Misérable argument, selon nous, qui repose tout entier sur une confusion de mots à double sens, comme tant de sophismes de Platon. Ces choses, en effet, le jour et la nuit, la veille et le sommeil, la vie et la mort, se succèdent l'une à l'autre, mais ne procèdent pas, ne naissent pas l'une de l'autre.

Le jour ne naît pas de la nuit, car la nuit est ténèbres, et le jour lumière; la veille ne naît pas du sommeil, car la veille est l'homme éveillé, le sommeil est l'homme endormi; la vie ne naît pas de la mort, car la vie est l'absence de la mort, et la mort est la privation de la vie. Ici, comme mille et mille fois dans Platon, le philosophe trompe ses auditeurs avec des apparences de raisonnements qui ne sont pas des raisonnements sincères; aussi inclinons-nous à croire que cette preuve erronée de l'immortalité de l'âme est du disciple et non du maître. Socrate était sincère, et Platon était un discoureur.

XXI.

Mais Socrate est plus heureux quand il réplique à un des interlocuteurs qui compare l'âme à l'harmonie résultant de l'unisson des cordes de la lyre, harmonie, dit le faiseur d'objections, qui périt avec l'instrument lui-même. Socrate n'a pas de peine à le confondre en lui démontrant que l'harmonie est une chose abstraite qui subsiste en soi-même, indépendamment de l'instrument où elle est exprimée, et qui ne périt pas avec la corde..... Elle se manifeste.

Socrate part de là pour exposer la partie fondamentale de son système philosophique, tout spiritualiste et tout divin, système qui a scandalisé de tout temps les partisans de l'axiome matérialiste: Tout vient à l'esprit par les sens.

Le système de Socrate consiste à dire:

Avant d'être unie aux sens par sa naissance sur cette terre, l'âme, qui n'est que la faculté d'idéaliser, et qui ne peut être comprise indépendante des idées qu'elle conçoit, a conçu en Dieu certaines idées primordiales qui sont l'essence, le type, l'exemplaire divin de tout ce qui est ou doit être. Ce sont les idées innées, les révélations préexistantes à toute révélation des sens; c'est eu vertu de ces idées typiques, coexistantes avec l'âme et préexistantes à nos sens, que nous portons en nous les notions innées du bien, du bon, du beau, des qualités, des vertus, des saintetés des choses.

Le type suprême et universel de ces idées, l'exemplaire primitif et sans autre exemplaire que lui-même de ces idées, c'est Dieu, idée par excellence, qui a tout imaginé et créé à son image, âme et matière, il porte en lui les essences, c'est-à-dire les qualités essentielles, fondamentales, de tous les êtres animés ou inanimés.

Notre âme existait en lui avant son existence terrestre, et ses instincts moraux ne sont que les réminiscences de sa préexistence, dans des conditions que nous ignorons, avant cette vie; et si elle existait avant nos corps, elle doit aussi leur survivre, et l'impossibilité de la décomposer en parties atteste qu'elle est une, et par conséquent indissoluble et immortelle; car la mort n'est que la dissolution des parties qui composent le corps: mais comment se décomposerait l'âme, qui n'est pas composée? Voilà une des preuves d'immortalité.

XXII.

«L'âme, continue-t-il, qui est immatérielle, qui va dans un autre séjour, de même nature qu'elle, séjour parfait, pur, immatériel, et que nous appelons pour cette raison l'autre monde, auprès d'un Dieu parfait et bon (où bientôt, s'il plaît à Dieu, mon âme va se rendre aussi), l'âme, si elle sort pure, sans rien emporter du corps avec elle, comme celle qui pendant sa vie n'a eu aucune faiblesse pour ce corps, qui l'a vaincu et subjugué au contraire, qui s'est recueillie en elle-même, faisant de ce divorce son principal soin, et ce soin est précisément ce que j'appelle bien philosopher ou s'exercer à mourir;

«L'âme donc, en cet état, se rend vers ce qui est semblable à elle, immatériel, divin, immortel et sage, et là elle est heureuse, affranchie de l'ignorance, de l'erreur, de la folie, des craintes, des amours déréglées et de tous les maux des humains, et, comme on le dit des initiés, elle passe véritablement l'éternité avec les dieux (les êtres divins).

«Mais, poursuit-il, si elle sort de la vie toute chargée des liens de l'enveloppe matérielle, enveloppe pesante, formée de terre et sensuelle, l'âme, mes amis, chargée de ce poids, y succombe, et, entraînée vers le monde des corps par son incompatibilité avec ce qui est immatériel, elle va errant, à ce qu'on dit, parmi les monuments funèbres et les sépulcres, autour desquels on a vu parfois des fantômes ténébreux, tels que doivent être les apparences d'âmes coupables qui ont quitté la vie avant d'être entièrement purifiées, etc.»

De là, il part pour faire à ses amis l'exposé édifiant des vertus, des sagesses, des abnégations, des dévouements à la vérité, à Dieu, aux hommes, en un mot de la philosophie pratique, à l'aide desquels l'âme perfectionnée et purifiée peut remonter d'une seule épreuve à sa source après la mort.

XXIII.

Nous avouons que cette philosophie, depuis la métaphysique jusqu'à la morale, en d'autres termes depuis le retour de l'âme immortelle en Dieu, type exemplaire et raison de tout, jusqu'à la morale, c'est-à-dire jusqu'aux abnégations, aux sacrifices, aux piétés, aux dévouements à la vérité, aux hommes et à Dieu qui purifient l'âme et la divinisent; nous avouons que cette philosophie est aussi la nôtre, comme elle est celle de Cicéron et de Confucius, comme elle est en grande partie celle des philosophes chrétiens, indépendamment du dogme de la rédemption de l'homme par Dieu descendu du ciel pour tendre sa main à l'humanité.

Il y a parenté évidente entre ces philosophies orientales, grecques, hébraïques, bien qu'il n'y ait pas similitude dans les dogmes.

Pour quiconque remonte attentivement, par les monuments écrits de nos jours et de nos races, aux premiers jours et aux premières races de cette terre pensante, il reste évident que la Divinité, mère, nourrice et institutrice de ses créatures, leur a révélé toujours et partout ces idées innées, ces exemplaires gravés dans leur âme, ces philosophies préexistantes, ces consciences instinctives d'où ils tirent les conjectures sur la vérité et la vertu.

Les philosophies et les morales ne sont pas si neuves que chaque génération se plaît à le croire: les vérités s'engendrent comme les générations; elles sont aussi nécessaires à l'existence de l'âme humaine que la lumière du soleil est nécessaire à la vie des êtres. Dieu, qui a voulu en tout temps la conservation des âmes, n'a laissé manquer aucun temps de la portion de vérité naturelle ou révélée, indispensable pour que sa création subsiste et pour qu'elle l'entrevoie lui-même à travers ses mystères.

Ce dialogue de Platon, le Phédon, est un jet de cette lumière venue de plus loin et répercutée sur l'âme d'un philosophe aussi saint que lumineux. C'est la sainteté de la raison.

Reprenons le drame:

XXIV.

«Voilà pourquoi, mes chers amis, dit Socrate après un moment de recueillement, le vrai philosophe s'exerce à la force et à la tempérance, et nullement par toutes les raisons que s'imagine le peuple.»

Les disciples, à ces mots, s'entre-regardent en silence et semblent craindre de proposer à Socrate un doute qui lui rappelle sa tragique situation et le peu d'heures qui lui restent à vivre.

Le sage s'en aperçoit:

«Vous me croyez donc, à ce qu'il paraît, leur dit-il, bien inférieur au cygne, en ce qui touche aux pressentiments et à la divination par l'instinct?

«Les cygnes, quand ils sentent qu'ils vont mourir, chantent encore mieux ce jour-là qu'ils n'ont jamais fait, dans leur joie d'aller trouver le dieu qu'ils servent. Mais la crainte que les hommes ont eux-mêmes de la mort leur fait calomnier ces cygnes, en disant qu'ils pleurent leur mort et qu'ils chantent de tristesse; et ils ne font pas cette réflexion, qu'il n'y a point d'oiseau qui chante quand il a faim ou froid, ou quand il souffre de quelque autre manière, non pas même le rossignol, l'hirondelle, ou la huppe, dont on dit que le chant est une complainte.

«Mais je ne crois pas que ces oiseaux chantent de tristesse, ni les cygnes non plus; je crois plutôt qu'étant consacrés à Apollon, ils sont devins, et que, prévoyant le bonheur dont on jouit au sortir de la vie, ils chantent et se réjouissent ce jour-là plus qu'ils n'ont jamais fait. Et moi, je pense que je sers Apollon aussi bien qu'eux, que je suis consacré au même dieu; que je n'ai pas moins reçu qu'eux de notre commun maître l'art de la divination, et que je ne suis pas plus fâché de sortir de cette vie; c'est pourquoi, à cet égard, vous n'avez qu'à parler tant qu'il vous plaira, et m'interroger aussi longtemps que les onze voudront le permettre.»

Il badine ensuite avec une grâce véritablement divine, comme s'il était déjà un homme divinisé, avec ses amis, en jouant avec les beaux cheveux de Phédon, qui était assis à ses pieds, sur un siége plus bas que le lit.

«Demain, dit-il, ô Phédon, tu feras couper ces beaux cheveux, n'est-ce pas? (C'était un signe de deuil chez les Grecs.) Eh bien, non, ne le fais pas, si tu m'en crois!...»

Il redouble ensuite ses preuves de l'immatérialité et de l'immortalité de l'âme, en leur démontrant qu'elle gouverne à son gré les sens, lorsqu'elle sait s'en affranchir par sa volonté et par sa liberté.

«Le corps, dit-il, n'obéit-il pas forcément, et ne voyons-nous pas cependant que l'âme fait tout le contraire? Elle gouverne tous les éléments dont on prétend qu'elle est composée, leur résiste pendant presque toute la vie, et les dompte de toutes les manières, réprimant les unes durement et avec douleur, comme dans la gymnastique et la médecine; réprimant les autres plus doucement, gourmandant ceux-ci, avertissant ceux-là; parlant au désir, à la colère, à la crainte, comme à des choses d'une nature étrangère: ce qu'Homère nous a représenté dans l'Odyssée, où Ulysse, se frappant la poitrine, gourmande ainsi son cœur:—Souffre ceci, mon cœur; tu as souffert des choses plus dures.»

On voit par cette citation, et par mille autres citations d'Homère dans la bouche de Socrate, que ce philosophe était bien éloigné de l'opinion sophistique de Platon proscrivant les poëtes de la République, mais qu'au contraire Socrate regardait Homère comme le poëte des sages, et comme le révélateur accompli de toute philosophie, de toute morale et de toute politique dans ses vers, miroir sans tache de l'univers physique, métaphysique et moral de son temps. C'est aussi notre humble opinion, et nous sommes fier de la rencontrer dans Socrate.

XXV.

Ses conjectures de philosophie scientifiques, sur les lois qui régissent les phénomènes matériels et les évolutions des astres, sont aussi vraisemblables (c'est toujours son mot) qu'elles sont sublimes. On y retrouve ce double caractère de simplicité et de merveille qui est en général le signe de toute vérité, quand il s'agit des œuvres de Dieu. Voir ces choses en Dieu, voilà son principe, et voici comment il le développe devant ses disciples:

«On s'épuise, dit-il, en vains efforts pour définir la nature du beau. Ce qui est beau ici-bas, selon moi, c'est ce qui participe au beau absolu: les belles choses sont belles par la présence de la beauté en elle; et c'est le reflet de la beauté primordiale et suprême qui les rend telles. La raison de toutes choses, comme de toute qualité de ces choses, est donc Dieu.»

Ses aperçus, qu'il développe ensuite sur la physique et sur la construction de notre globe, se ressentent de l'imperfection des sciences expérimentales dans son siècle.

Ses hypothèses sur l'état des âmes après la mort se rapprochent des fables homériques au sujet des enfers, et pressentent le purgatoire des chrétiens.

«Ceux qui sont reconnus avoir vécu de manière qu'ils ne sont ni entièrement criminels, ni entièrement innocents, après avoir subi la peine des fautes qu'ils ont pu commettre, sont délivrés, et reçoivent la récompense de leurs bonnes actions, chacun selon ses mérites. Ceux qui sont reconnus incurables, à cause de l'énormité de leurs crimes, sont précipités dans le Tartare, d'où ils ne remontent jamais.»

On est étonné ici de trouver dans un génie aussi doux que celui de Socrate le dogme de l'éternité des supplices.

«Soutenir, continue-t-il ensuite, que toutes ces choses sont précisément comme je vous les ai décrites, ne conviendrait pas à un homme de sens et de bonne foi; mais ce qui est certain, c'est que l'âme est immortelle; en tout cris c'est un hasard qu'il est beau de courir, c'est une espérance dont il faut s'enchanter soi-même.

«Qu'il espère donc bien de son âme, celui qui, pendant sa vie, a rejeté les plaisirs et les biens du corps comme lui étant étrangers et portant au mal: celui qui a aimé les plaisirs de la sagesse, qui a orné son âme, non d'une parure étrangère, mais de celle qui lui est propre, comme la tempérance, la justice, la force, la liberté, la vérité; celui-là doit attendre avec sécurité l'heure de son départ pour le meilleur monde.

«Pour moi, la destinée m'appelle aujourd'hui, comme dirait un poëte tragique, et il il est temps que j'aille au bain, car il me semble qu'il est mieux de ne boire le poison qu'après m'être baigné et d'épargner aux femmes la peine de laver un cadavre.»

Puis, souriant:

«Je ne saurais pourtant persuader à Criton que je suis bien le Socrate qui s'entretient ainsi avec vous, et qui ordonne avec sang-froid toutes les parties de son discours; il s'imagine toujours que je suis déjà celui qu'il va voir mort tout à l'heure, et il me demande comment il doit m'ensevelir.

«Et tout ce long discours que je viens de faire devant vous, pour vous prouver que, dès que j'aurai avalé le poison, je ne demeurerai plus avec vous, mais que je vous quitterai pour aller jouir des félicités ineffables, il me paraît que tout cela a été dit en pure perte pour lui, comme si j'avais voulu seulement par là le consoler et me consoler moi-même.

«Soyez donc mes cautions auprès de Criton, et, comme il a répondu pour moi aux juges que je ne m'en irais pas, vous, au contraire, répondez pour moi que, dès que je serai mort, je m'en irai, afin que le pauvre Criton prenne les choses plus doucement, et qu'en voyant brûler mon corps ou le mettre en terre, il ne s'afflige pas sur moi. Il ne doit pas dire à mes funérailles que c'est Socrate qu'il expose, qu'il emporte, qu'il ensevelit dans la terre: car il faut que tu saches, mon cher Criton, que parler ainsi improprement, ce n'est pas seulement une faute envers les choses, c'est aussi un mal que l'on fait aux âmes. Il faut avoir plus de courage, et dire que c'est le corps de Socrate seulement que tu couvres de terre.

«En disant ces mots, il se leva et passa dans la salle du bain; nous l'attendîmes, tantôt en nous entretenant de tout ce qu'il avait dit, tantôt parlant de l'affreux malheur qui allait nous frapper, nous regardant véritablement comme des enfants privés de leur père, et condamnés à passer le reste de notre vie comme des orphelins.»

XXVI.

«Après qu'il fut sorti du bain, on lui apporta ses enfants, car il en avait trois, deux en bas âge et un qui était déjà assez grand, et on fit entrer les femmes de sa famille. Il leur parla quelque temps en présence de Criton et leur donna ses dernières instructions.

«Ensuite il fit retirer les femmes et les enfants, et revint nous trouver.

«Et déjà le coucher du soleil approchait, car il était resté longtemps enfermé avec les femmes et les enfants; en rentrant, il s'assit sur son lit, et il n'eut pas le temps de nous parler beaucoup, car le geôlier entra presque en même temps, et, s'approchant de lui:

«—Socrate, dit-il, j'espère que je n'aurai pas à te faire le même reproche qu'aux autres: dès que je viens les avertir, par ordre des magistrats, qu'il faut boire le poison, ils s'emportent contre moi et ils me maudissent; mais pour toi, depuis que tu es ici, je t'ai toujours trouvé le plus courageux, le plus doux et le meilleur de ceux qui sont jamais venus dans cette prison, et en ce moment je suis bien sûr que tu n'es pas fâché contre moi, mais contre ceux qui sont cause de ton malheur...» Et en même temps il fondit en larmes en détournant son visage, et il se retira.»

Socrate, le regardant, lui dit:

«—Et toi aussi, reçois mes adieux; je ferai comme tu as dit. Et, se tournant vers nous:—Voyez, nous dit-il, quelle honnêteté dans cet homme! Tout le temps que j'ai été ici, il m'est venu voir souvent et il s'est entretenu avec moi; c'était le meilleur des hommes, et maintenant comme il me pleure de bon cœur! Mais allons, Criton, exécutons-nous de bonne grâce, et qu'on m'apporte le poison s'il est broyé; sinon, qu'il le prépare lui-même.

«—Mais je pense, Socrate, lui dit Criton, que le soleil est encore sur les montagnes, et qu'il n'est pas, couché; d'ailleurs, je sais que beaucoup de condamnés ne prennent le poison que longtemps après que l'ordre leur en a été donné; ne te hâte pas, tu as encore le temps.

«—Ceux qui font ce que tu dis, Criton, répondit Socrate, ont leurs raisons; ils croient que c'est autant de gagné; et moi, j'ai mes raisons aussi pour ne pas faire comme eux, car je me montrerais ridiculement amoureux de la vie en voulant l'économiser quand il n'y en a plus.» (Citation badine d'un vers d'Hésiode.)

XXVII.

L'esclave entre, portant la coupe.

«Fort bien, mon ami, lui dit Socrate; mais que faut-il que je fasse? c'est à toi de me l'apprendre.

«—Pas autre chose, lui répondit cet homme, que de te promener quand tu auras bu, jusqu'à ce que tu sentes tes jambes lourdes, et alors de te coucher sur ton lit.»

Et en même temps il lui tendit la coupe.

Socrate la prit avec la plus parfaite impassibilité, sans aucune émotion, sans changer ni de couleur ni de visage; mais, regardant cet homme d'un regard ferme et assuré comme à son ordinaire:

«Dis-moi, est-il permis de répandre un peu de ce breuvage pour en faire une libation?

«—Socrate, lui répondit l'homme, nous n'en broyons que ce qu'il est nécessaire d'en boire.

«—J'entends, dit Socrate; mais au moins il est permis et il est juste de faire ses prières aux dieux, afin qu'ils bénissent notre voyage et le rendent heureux; c'est ce que je leur demande; puissent-ils exaucer mes vœux!..» Après avoir dit cela, il porta la coupe à ses lèvres, et la but avec une tranquillité et une douceur incomparables.

Les sanglots des disciples éclatent à ce moment; Phédon s'enveloppe la tête de son manteau pour cacher ses larmes; Criton, ne pouvant les retenir, sort; Apollodore jette des gémissements et des cris.

«Que faites-vous, dit Socrate, ô mes bons amis? N'était-ce pas pour éviter ces faiblesses que j'avais écarté les femmes? car j'ai toujours entendu dire qu'il faut mourir sur de bonnes paroles.»

XXVIII.

«Cependant Socrate, qui se promenait, dit qu'il sentait ses jambes s'alourdir; il se coucha sur le dos, comme l'homme l'avait indiqué. En même temps, le même homme qui lui avait donné le poison s'approcha, et, après avoir examiné quelque temps ses pieds et ses jambes, il lui serra le pied fortement et lui demanda s'il le sentait: Socrate lui dit que non. Il lui serra ensuite les jambes, et, portant ses mains plus haut, il nous fit voir que son corps se glaçait et se roidissait, et, le touchant lui-même, il nous dit que, dès que le froid gagnerait le cœur, alors Socrate nous quitterait.

«Déjà tout le bas-ventre était glacé; alors Socrate, se découvrant, car il était couvert:

«Criton, dit-il, et ce furent ses dernières paroles, nous devons un coq à Esculape[3]; n'oublie pas d'acquitter cette dette.

«—Cela sera fait, répondit Criton; mais vois si tu as encore quelque chose à nous dire.»

«Il ne répondit rien, et, un peu de temps après, il fit un mouvement; alors l'homme le découvrit tout à fait: ses regards étaient fixes. Criton, s'en étant aperçu, lui ferma la bouche et les yeux.

«Telle fut, Échécratès, la fin de notre ami, de l'homme, nous pouvons le dire, le meilleur des hommes de ce temps que nous ayons connus, le plus sage et le plus juste de tous les hommes.»

XXIX.

Voilà le dialogue ou plutôt le poëme de la mort de Socrate, selon Platon, sur le récit du dernier entretien de Socrate. La philosophie humaine ne s'éleva jamais plus haut par la seule puissance du raisonnement. Ce qui donne par-dessus tout son caractère et son autorité à cette philosophie, c'est la conscience, supérieure encore ici à la philosophie.

Socrate ne fonde ses dogmes et ses espérances que sur des raisonnements; quelques-uns sont très-sophistiques, tel que celui qui fait engendrer toute chose par son contraire.

Sa foi, comme il l'avoue lui-même, n'est que probabilité, conjectures, vraisemblance, révélation de la pensée à la pensée, cet éternel révélateur avec lequel tout homme s'entretient dans ses espérances et dans ses doutes. Aucun prestige ou aucun prodige n'impose cette foi à lui-même ou aux autres; il n'appelle en témoignage que la raison sincèrement interrogée et logiquement répondue dans ses entretiens sur les choses divines; c'est en cherchant à se persuader lui-même qu'il acquiert la conviction dans son âme, et qu'il la répand dans l'âme de ses disciples: mais cette conviction raisonnée, ou cette foi acquise, est si absolue et si confiante en lui qu'il n'hésite pas à mourir volontairement pour elle.

Le moindre mot de repentir, la moindre promesse de renoncer à son apostolat de la raison, l'auraient fait acquitter par les Athéniens, qui ne demandaient qu'à l'absoudre: mais sa conscience se refuse à toute lâche complaisance; il se précipite de lui-même au supplice, prévu, voulu, imploré, par cette maxime, qui est celle des héros de la philosophie: Obéir à Dieu plutôt qu'à la patrie dans toutes les choses où la patrie, qui commande au citoyen, n'a pas le droit de commander à la conscience.

On s'étonne cependant quelquefois des allusions faites par Socrate aux divinités du paganisme. Il parle deux fois d'Apollon, il fait sa prière aux dieux avant d'avaler la coupe; il demande si l'on peut faire une libation avec la liqueur mortelle; il recommande à Criton de sacrifier un coq à Esculape, pour remercier le dieu de la médecine de l'avoir guéri du mal de la vie.

Mais, indépendamment de l'expression de la physionomie et du ton de plaisanterie que la parole écrite ne peut rendre dans le dialogue de Platon, physionomie et accent qui devaient donner leur véritable signification un peu railleuse à ces paroles du sage, il convient de se souvenir que Socrate ne rejetait pas, dans sa pensée, l'idée de ces dieux inférieurs, de ces divinités secondaires, de ces personnifications populaires des attributs du Dieu unique, nommés par toutes les nations de noms divins qui n'attentaient pas à la divinité unique et suprême.

Comme tous les fondateurs de nouveaux cultes, Socrate, fondateur du culte philosophique, cherchait à concilier, autant que possible, ce qu'il y avait d'innocent dans les antiques superstitions nationales avec ce qu'il y avait de vérité absolue et de piété sainte dans le nouveau dogme. Il disait aussi: Je ne suis pas venu abolir l'ancienne loi, mais l'accomplir. Il disait, comme les apôtres: Est-ce que nous n'allons pas prier dans le temple?

D'ailleurs, sa théorie, infiniment plausible, d'une hiérarchie de puissances célestes, d'une échelle incessante d'êtres, agents de la divinité créatrice, dans les astres, dans les éléments, sur la terre, sur les âmes, cette théorie n'était nullement en contradiction avec le Dieu exclusif et souverain que sa raison découvrait et adorait au-dessus de toutes ces divinités d'emprunt. Cette théorie était, au fond, celle de tous les sages des religions antiques; ce qu'on a appelé polythéisme n'était, dans ces religions, que symbolisme.

On a calomnié le genre humain, en lui attribuant plus d'inconséquence et plus de superstition qu'il n'en a eu dans la partie éclairée de l'humanité de tous les âges.

L'unité de Dieu est aussi ancienne que la raison elle-même. On a vu, dans ce que j'ai cité d'Hermès, que les Égyptiens adoraient un seul et premier principe, de qui émanait, comme des rayons, toute leur théologie populaire; les Perses redoutaient le mauvais principe sous le nom d'Arimane, mais ils n'adoraient que le bon principe sous le nom d'Oromasde. Les Guèbres ne rendaient un culte au feu que comme à l'élément lumineux et générateur qui voilait et manifestait Dieu.

L'Inde primitive, en admettant les incarnations de ses divinités, admettait, avant tout, l'Être divin et unique, source et une de ces incarnations. La Chine, le peuple le plus anciennement raisonnable du haut Orient, ne cherchait Dieu derrière les idoles symboliques de Fô qu'à la lueur de la raison dont Confutzée fut pour eux le Socrate; derrière et au-dessus de toute la mythologie païenne, il y a toujours dans Orphée, dans Homère, comme dans Cicéron ou dans Marc-Aurèle, un Fatum, un Dieu unique, absolu, dominateur, qui régit l'univers et même les dieux intermédiaires entre l'univers et lui. Quant au mahométisme, c'est l'insurrection même de l'unité de Dieu, dans le cœur des Arabes, contre les idolâtries qui infectaient leurs ancêtres, ou qui tenteraient d'infecter de nouveau l'esprit humain.

Socrate pouvait donc, sans scandaliser ses disciples, qui comprenaient ce qu'il voulait dire, parler en souriant d'Apollon, qui était pour lui et pour eux l'inspiration divine; de libation, qui était un acte de piété; de sacrifice à Esculape, qui était le symbole enjoué de la délivrance de tout mal par la délivrance de la vie.

Quant à sa philosophie, qui n'est nulle part aussi complétement exposée que dans le dialogue de Phédon, elle se résume, à travers un trop long flux de paroles et un trop grand appareil de questions, de réponses, de dialectique, de polémique, de circonlocutions plus scolastiques que philosophiques, dans un très-petit nombre de vraisemblances théologiques et de vérités morales auxquelles toutes les philosophies modernes ont peu ajouté. La raison révèle aujourd'hui ce qu'elle révélait hier, car elle est le Verbe intérieur qui parle en nous.

Voici cette philosophie:

Un Dieu suprême, unique, parfait, dont l'existence est un mystère et se démontre par soi-même;

Une hiérarchie d'êtres émanés de lui, et investis plus ou moins de sa sagesse, de sa puissance, de sa bonté, créant et gouvernant, sous son regard, les astres, les mondes, les âmes;

L'âme, ou l'esprit, distinct de la matière, mais mû par la volonté de Dieu, dans l'homme ou dans d'autres êtres pensants;

La matière périssable, l'âme immortelle;

La vertu, exercice de l'âme pendant la vie, pour conquérir une vie plus parfaite par sa victoire sur les sens.

La vérité, la liberté, la justice, la charité, la tempérance, la mortification des sens, le dévouement à ses semblables, le désir de la mort pour revivre plus saint; le sacrifice de soi-même, jusqu'au sang, à Dieu; la joie dans le supplice volontaire, la foi dans la résurrection, voilà les victoires de l'âme.

La récompense, après la mort, de ces vertus; le châtiment, soit temporaire, soit éternel, des vices ou des crimes contraires, voilà ses destinées.

XXX.

Telle est toute la philosophie de Socrate. Elle paraîtrait plus belle encore si elle était plus simplement exposée par Platon, non dans le style de l'école et de l'académie grecques, mais dans le style simple, naïf, limpide et populaire des paraboles évangéliques. Forme pour forme, j'avoue que je préfère la parabole au dialogue: la parabole est l'épopée de la vérité pour les simples; le dialogue de Platon est le cliquetis des idées pour les sophistes.

Aussi remarquez combien Socrate, dans le Phédon, est plus beau quand il meurt que quand il disserte. C'est que, là, Platon n'a pu altérer par le clinquant des couleurs la sereine simplicité de son modèle; le dialogue est d'un sophiste, le récit est d'un philosophe.

Cette mort, véritable transfiguration de l'être mortel en être immortel, par la seule raison, dans un cachot devenu le Thabor de la philosophie humaine, a été appelée par J.-J. Rousseau la mort d'un sage; mais c'est plus qu'une mort, c'est une éclosion visible à l'immortalité. J.-J. Rousseau ne l'a pas assez vu: il était plus semblable à Platon qu'à Socrate.

Il faut une certaine mesure de vertu dans une âme, pour que cette âme puisse s'élever à une véritable philosophie. Les grandes pensées viennent des grandes âmes; celle de J.-J. Rousseau était très-éloquente, mais pas assez grande. Aussi, comparez ces deux morts! Socrate meurt en plein soleil, le sourire sur les lèvres, sans un doute, sans une angoisse, sans un gémissement, sans un reproche à Dieu ni aux hommes. J.-J. Rousseau meurt ou se tue dans une retraite où il a fui les hommes qu'il accuse et qu'il redoute, livré aux reproches mérités d'une femme qu'il a flétrie en lui dérobant ses fruits à sa mamelle pour aller les jeter à la voirie humaine des enfants perdus!

Il meurt isolé dans sa solitude, et son isolement est un remords qui venge en lui la nature offensée par l'égoïsme.

Rousseau ne juge pas sainement la mort de Socrate. Car, s'il y a quelque chose de surhumain dans l'humanité, ce n'est pas la mort d'un Dieu, sûr de revivre parce qu'il se sent Dieu même en mourant: c'est la mort d'un homme qui ne se sent qu'homme, mais en qui la raison, exercée pendant une longue vie de lutte avec son corps, triomphe de la nature et ressuscite en esprit avant qu'il soit mort, par la sainte évidence de sa foi!

XXXI.

C'est là la mort de Socrate, telle que le Phédon nous la retrace. Voulez-vous ma pensée tout entière? Après ce troisième dialogue, il faudrait fermer le livre, car il n'y a plus que le rhéteur une fois que le sage est mort.

Mais nous allons encore lire ensemble la Politique de Platon, pour convaincre l'esprit humain de sa vanité et de son inconséquence, une fois qu'il veut appliquer au gouvernement des sociétés les chimères de ses sophismes.

Tant qu'on ne touche qu'aux idées, on peut toucher faux: mais, une fois qu'on touche aux hommes, il faut toucher juste. Cela nous mènera à Aristote.

Lamartine.

LXXXIIe ENTRETIEN.

SOCRATE ET PLATON.
PHILOSOPHIE GRECQUE.

DEUXIÈME PARTIE.

I.

Toute la substance et toute la beauté de la philosophie de Platon, ou plutôt de Socrate, sont contenues dans le sublime dialogue du Phédon, que nous venons de lire ensemble. Cette philosophie peut se résumer en ces mots:

L'intelligence humaine n'est que le reflet de l'intelligence divine; nos idées ont leur source et leur type en Dieu, idée et type suprême de tout ce qui est dans l'ordre moral comme dans l'ordre matériel.

Les idées de Dieu sont le moule et le modèle de tout, la raison efficiente de toute beauté et de toute bonté dans les choses. Ces idées ne nous sont point données par les sens; les sens, étant matière, ne peuvent pas penser, ni par conséquent produire les idées.

Les idées sont nées avec notre âme, et ne font que s'appliquer, pendant notre existence terrestre, aux phénomènes qui sont sous notre perception.

Comment l'âme, qui est immatérielle, peut-elle agir sur nos sens, qui sont matière? et comment les sens, qui sont matière, peuvent-ils agir sur l'âme immatérielle? Platon s'arrête ici comme l'esprit humain; il s'embarrasse dans ses paroles équivoques, et il ne conclut pas, parce qu'il n'y a évidemment rien à conclure.

Un seul mot explique cette inexplicable union de l'âme et du corps, et ce mot est: mystère.

La philosophie arabe dit seule le vrai mot de ce mystère, comme la philosophie du christianisme: Dieu l'a voulu ainsi! C'est le mot vrai, et hors ce mot tout est absurde.

L'âme ne tire donc, selon Platon, la lumière innée, ou la révélation préexistante qui l'éclaire, que d'une certaine participation non définie, et indéfinissable en effet, de l'essence divine ou de la nature de Dieu. Ce dogme vient évidemment du haut Orient; il touche à ce qu'on appelle improprement panthéisme, panthéisme dont on pourrait également accuser le christianisme dans ces mots de saint Paul: Nous vivons en Dieu, nous nous mouvons en Dieu, nous sommes, nous existons en Dieu.

II.

Il y a deux sciences, continue le platonisme: l'une, qui vient par les sens, et qui est faible, étroite, fautive, subalterne comme les sens; de ce genre sont les mathématiques elles-mêmes, qui ne définissent que des choses matérielles elles-mêmes comme les sens, espaces, étendues, nombres, etc.

L'autre science, qui préexiste en nous, et qui est en nous une sorte de réminiscence des choses divines, est la science de ce qui est et ce qui doit être en soi-même, de ce qui est conforme au modèle intérieur divin des choses, le beau, le bon, le juste, le saint, le parfait, l'absolu, l'idéal, comme nous disons aujourd'hui.

Platon dégage de cette théorie toutes les applications morales ou politiques qui en découlent. Sa théologie et sa législation sont d'une seule et même nature: l'idéal de la perfection.

Une seule chose l'embarrasse dans cette théologie, c'est l'existence de la matière; il ne veut pas la reconnaître divine, et cependant il ne veut pas reconnaître que Dieu ait pu créer, lui esprit, une substance si étrangère à sa perfection; il fait donc coexister la matière avec Dieu.

Les théogonies indienne, persane, égyptienne, biblique même, qui toutes présentent au commencement une sorte de matière confuse et inorganique, nommée chaos, sur laquelle Dieu opère, en apparaissant, la forme, la vie, l'ordre, la lumière, la beauté, ont donné l'exemple de cette erreur.

Ici encore, Platon se trouble et balbutie comme tous ses prédécesseurs, faute de reconnaître son insuffisance à expliquer l'inexplicable, et à prononcer le grand mot de mystère, seule définition des opérations de Dieu.

III.

On a vu cependant combien, dans le Phédon, cette philosophie spiritualiste, la seule vraie, la seule noble, la seule honnête dans ses conséquences, produit la moralité dans les paroles, dans la vie et dans la mort de Socrate. Quand on a lu cette mort dans le Phédon, on se sent comme un air de joie et de fête dans l'âme; on croit sortir d'un banquet au lieu de sortir d'un supplice. Une émanation du ciel a découlé sur la terre de cet holocauste d'un philosophe à la vérité, d'un homme de bien à la vertu, et d'un mourant à l'immortelle espérance.

Mais, nous le répétons avec douleur, là s'arrête la divinité philosophique de Platon; presque dans tous ses autres dialogues le saint disparaît, le rhéteur se montre, argumente, et le dialecticien, faisant un ennuyeux abus de la parole, se livre à des puérilités d'esprit qui font rougir le génie grec.

Nous ne vous en donnerons ici qu'un exemple; il y en a presque autant que de pages dans ce pire des jeux d'esprit, le jeu de mots, le son pris pour l'idée, la parole pervertie de son sens.

Ouvrez le dialogue intitulé l'Euthydème. M. Cousin, justement scandalisé, n'y voit qu'une simple parodie des sophistes; mais l'argumentation sophistique est trop semblable à d'autres argumentations employées très-sérieusement et très-habituellement par Platon, pour n'y pas reconnaître la manière de Platon lui-même.

IV.

«Crois-tu qu'il soit possible de mentir?» dit Euthydème à Ctésippe.

«—Oui, par Jupiter, à moins que je ne sois fou

«—Mais celui qui ment dit-il la chose dont il est question, ou ne la dit-il pas?

«—Il la dit.

«—S'il la dit, il ne dit rien autre chose que ce qu'il dit.

«—Sans doute.

«—Or, ce qu'il dit, n'est-ce pas une certaine chose?

«—Qui en doute?

«—Donc celui qui la dit dit une chose qui est?

«—Oui.

«—Mais celui qui dit ce qui est dit la vérité. Si donc Dionysodore a dit ce qui est, il a parlé vrai et n'a pas menti?

«—Oui, Euthydème, répondit Ctésippe; mais qui dit cela ne dit pas ce qui est?» Alors Euthydème reprenant:

«Les choses qui ne sont pas ne sont pas, n'est-il pas vrai?

«—D'accord, les choses qui ne sont pas, ne sont nullement.

«—Mais se peut-il qu'un homme agisse vis-à-vis ce qui n'est pas, et qu'il fasse ce qui n'est en aucune manière?

«—Il ne me paraît pas, répondit Ctésippe.

«—Mais parler devant le peuple, n'est-ce pas agir?

«—Oui, certes.

«—Si c'est agir, c'est faire?

«—Oui.

«—Parler, c'est donc agir, c'est donc faire?

«—J'en conviens.

«—Personne ne dit donc ce qui n'est pas, car il en ferait quelque chose, et tu viens de m'avouer qu'il est impossible de faire ce qui n'est pas. Ainsi donc, de ton propre aveu, personne ne peut mentir; et, si Dionysodore a parlé, il a dit des choses vraies et qui sont effectivement.

«—Par Jupiter! Euthydème, répondit Ctésippe, Dionysodore a dit peut-être ce qui est; mais il ne l'a pas dit comme il est.

«—Que dis-tu, Ctésippe? repartit Dionysodore; y a-t-il des gens qui disent les choses comme elles sont?

«—Il y en a, répondit Ctésippe, et ce sont les gens de bien, les hommes véridiques.

«—Mais, reprit Dionysodore, le bien n'est-il pas bien, et le mal n'est-il pas mal?

«—Je l'avoue.

«—Et tu soutiens que les hommes honnêtes disent les choses comme elles sont?

«—Je le prétends.

«—Les honnêtes gens disent donc mal le mal, puisqu'ils disent les choses comme elles sont?

«—Par Jupiter! oui.» reprit Ctésippe, etc.

La plume se refuse à copier de telles logomachies, et cependant, soit comme parodies, soit comme arguments, de semblables dialogues sont puérils d'un bout à l'autre. La verbosité oiseuse du philosophe et de ses interlocuteurs ne les rend pas moins fastidieux dans beaucoup de leurs parties, qu'ils ne sont frivoles dans quelques-unes.

Hélas! les Grecs nous avaient devancés dans l'invention du jeu de mots. Mais nous ne jouons sur les mots que sur les théâtres forains ou triviaux de nos capitales: les Grecs d'alors jouaient sur le mot dans la chaire des philosophes et dans l'académie présidée par Platon. Jamais plus de scorie n'enveloppa, dans le livre d'un sage, le diamant rare, mais éclatant, de la vérité.

V.

Le livre le plus célèbre de Platon, après les Dialogues, est sa République.

La République de Platon est ce qu'on appelle une utopie. Une utopie est une chimère qu'un esprit juste ou faux, ingénieux ou borné, se complaît à créer pour incarner son idéal ou son système dans une institution religieuse, politique ou sociale, le modèle de ses pensées.

De tous temps, il y a eu des esprits oisifs et rêveurs qui ont prétendu ainsi refaire de fond en comble le monde religieux, politique ou social à leur image. Tous ont échoué et tous échoueront éternellement, parce que le monde religieux, politique ou social qui a été fait jour à jour, pendant les siècles des siècles, conformément à la nature de l'homme, ne peut se refaire aussi que jour à jour pendant la durée des siècles, conformément aux idées plus développées de l'humanité tout entière.

Un homme seul peut rêver éveillé tout ce qui lui plaît; il soulève le monde, mais le monde ne se sent point soulevé; et, s'il se sentait soulevé un moment par le rêve de l'utopiste, il écraserait, en retombant de tout son poids de monde réel, le monde chimérique du nouveau Platon.

Entre un politique et un utopiste, il y a la différence du songe à la réalité, c'est-à-dire d'une ombre à un monde: l'un plane dans les régions du possible ou de l'impossible (car ces songes, si l'utopiste est absurde, sont bien souvent même des impossibilités); l'autre marche sur le sol inégal, raboteux et résistant des choses humaines. L'un pense, et l'autre touche. Du contact à la pensée il y a un monde aussi.

VI.

Ce fut la tentation de beaucoup de grands esprits, depuis qu'il y a des penseurs dans le monde, de se révolter, au moins en imagination, contre la nature des choses; de s'imaginer qu'ils étaient dieux, de critiquer avec mépris l'œuvre du Créateur; de reprendre l'univers moral en sous-œuvre, de renverser toutes les institutions plus ou moins parfaites de l'humanité, et de reconstruire idéalement une société sur le plan radical de leur imagination, en faisant abstraction des instincts, des traditions, des habitudes, cette seconde nature, des nécessités, des expériences, des nationalités et des faits historiques, qui ont produit, fait par fait et siècle par siècle, les institutions fondamentales et universelles sur lesquelles repose l'espèce humaine.

Platon, en Grèce;

Thomas Morus, en Angleterre;

Vico, en Italie;

Fénelon même, en France, dans son poëme politique du Télémaque;

J.-J. Rousseau, dans son Contrat social et dans ses Plans de constitution pour la Pologne;

L'abbé de Saint-Pierre, dans sa Paix universelle;

Robespierre et Saint-Just, dans leur système d'égalité et de nivellement démocratique à tout prix, qui auraient décapité la société jusqu'à la dernière unité vivante, pour que l'un ne dépassât pas l'autre d'une faculté, d'une obole ou d'un cheveu;

Babeuf, dans sa communauté des biens;

Saint-Simon, de nos jours, dans sa proportion algébrique entre les aptitudes et les fonctions;

Fourrier, dans son cauchemar d'industrie, réduisant toute la société physique et morale à une association en commandite dont Dieu est le commanditaire, et promettant à l'homme jusqu'à des organes naturels de plus, pour jouir de félicites plus matérielles;

Cabet, dans son Icarie indéfinissable, chaos d'une tête vague, qui ne savait pas même rêver beau;

Tel autre, dans son égalité des salaires, charité idéale inspirée de l'Évangile sans doute, mais qui deviendrait la souveraine injustice envers le travail et le talent, et la prime réservée à l'oisiveté et aux vices, système des frelons qui pillent la ruche;

Tel autre, enfin, dans ses sentences de philosophie suicide, expropriant la famille, cette unité triple, qui enfante, nourrit, moralise et perpétue seule l'humanité, pour assouvir l'individu qui la tue: maximes folles, mais comminatoires, qui firent écrouler d'effroi toute démocratie progressive devant la démagogie des idées; sophiste néfaste, mille fois plus funeste à la République que tous les poëtes chassés de la République par Platon:

Voilà ce qu'on entend par utopiste: ce sont les sophistes de la politique.

VII.

Nous avons dit que Platon fut le premier de ces sophistes de la société. Voyons son système dans le rêve en deux volumes intitulé: la République.

Il met, comme partout dans ses Dialogues, ses idées dans la bouche de Socrate; mais il est évident que c'est pour leur donner l'autorité du philosophe mort. Socrate était trop expérimental et trop logique pour avoir jamais substitué la chimère à la nature dans le plan des institutions politiques.

Selon son habitude toute poétique, Platon commence le dialogue par une gracieuse et pittoresque exposition de la scène et des personnages qui doivent prendre part à l'entretien.

La scène est au Pirée, petit port d'Athènes, à quelques stades de la ville, le soir d'un jour de fête en l'honneur de la Diane de Thrace.

VIII.

«La pompe formée par nos compatriotes me parut belle, et celle des Thraces ne l'était pas moins. Après avoir fait notre prière et vu la cérémonie, nous regagnâmes le chemin de la ville.

«Comme nous nous dirigions de ce côté, Polémarque, fils de Céphale, nous aperçut de loin, et dit à son esclave de courir après nous et de nous prier de l'attendre. Celui-ci, m'arrêtant par derrière par mon manteau:—Polémarque, dit-il, vous prie de l'attendre.

«Je me retourne, et lui demande où est son maître.

«—Le voilà qui me suit; attendez-le un moment.

«—Eh bien, dit Glaucon, nous l'attendrons.

«Bientôt arrivent Polémarque avec Adimante, frère de Glaucon, Nicérate, fils de Nicias (général athénien qui périt au siége de Syracuse), et quelques autres qui se trouvaient là, revenant de la fête.

«Nous nous rendîmes donc tous ensemble, ses deux frères Lysias et Euthydème, avec Thrasymarque de Chalcédoine, Charmantide du bourg de Péanée, et Clitophon, fils d'Aristonyme. Céphale, père de Polémarque, y était aussi.

«Je ne l'avais pas vu depuis longtemps, et il me parut bien vieilli. Il était assis, la tête appuyée sur un coussin, et portait une couronne; car il avait fait ce jour-là un sacrifice domestique. Nous nous assîmes auprès de lui sur des siéges qui se trouvaient disposés en cercle.

«Dès que Céphale m'aperçut, il me salua, et me dit:

«Ô Socrate, tu ne viens guère souvent au Pirée; tu as tort. Si je pouvais encore aller sans fatigue à la ville, je t'épargnerais la peine de venir; nous irions te voir: mais maintenant c'est à toi de venir ici plus souvent. Car tu sauras que, plus je perds le goût des autres plaisirs, plus ceux de la conversation ont pour moi de charme.

«Fais-moi donc la grâce, sans renoncer à la compagnie de ces jeunes gens de ne pas oublier non plus un ami qui t'est bien dévoué.

«—Et moi, Céphale, lui répondis-je, j'aime à converser avec les vieillards. Comme ils nous ont devancés dans une route que peut-être il nous faudra parcourir, je regarde comme un devoir de nous informer auprès d'eux si elle est rude et pénible, ou d'un trajet agréable et facile. J'apprendrais avec plaisir ce que tu en penses, car tu arrives à l'âge que les poëtes appellent le seuil de la vieillesse. Eh bien, est-ce une partie si pénible de la vie? comment la trouves-tu?

«—Socrate, me dit-il, je te dirai ce que j'en pense.

«Nous nous réunissons souvent un certain nombre de gens du même âge, selon l'ancien proverbe. La plupart, dans ces réunions, s'épuisent en plaintes et en regrets amers au souvenir des plaisirs de la jeunesse, de l'amour, des festins et de tous les autres agréments de ce genre: à les entendre, ils ont perdu les plus grands biens; ils jouissaient alors de la vie, maintenant ils ne vivent plus. Quelques-uns se plaignent aussi que la vieillesse les expose à des outrages de la part de leurs proches; enfin ils l'accusent d'être pour eux la cause de mille maux.

«Pour moi, Socrate, je crois qu'ils ne connaissent pas la vraie cause de ces maux; car, si c'était la vieillesse, elle produirait les mêmes effets sur moi et sur tous ceux qui arrivent à mon âge; or j'ai trouvé des vieillards dans une disposition d'esprit bien différente.

«Je me souviens qu'étant un jour avec le poëte Sophocle, quelqu'un lui dit en ma présence:—Sophocle, l'âge te permet-il encore de te livrer aux plaisirs de l'amour?—Tais-toi, mon cher, répondit-il, j'ai quitté l'amour avec joie comme on quitte un maître furieux et intraitable.—Je jugeai dès-lors qu'il avait raison de parler de la sorte, et le temps ne m'a pas fait changer de sentiment.

«En effet, la vieillesse est, à l'égard des sens, dans un état parfait de calme et de liberté. Dès que l'ardeur des sens s'est amortie, on se trouve, comme Sophocle, délivré d'une foule de tyrans insensés. Pour cela, comme pour les chagrins domestiques, ce n'est pas la vieillesse qu'il faut accuser, mais seulement le caractère des vieillards. La modération et la douceur rendent la vieillesse agréable; les défauts contraires font le malheur de l'homme âgé, comme ils feraient celui de l'homme jeune.»

Il cite ces vers de Pindare à l'appui de son opinion, sur le bonheur de vieillir dans l'honneur et dans l'aisance:

«L'espérance l'accompagne en berçant doucement son cœur et allaitant sa vieillesse, l'espérance, qui gouverne à son gré l'esprit flottant des mortels, etc.»

IX.

Après ce naïf préambule, on s'entretient de la justice; cette partie de l'entretien est, dans sa forme, aussi hérissée d'ambages, aussi touffue de vaines paroles, aussi sophistique de forme que les dialogues cités tout à l'heure par nous, en exemple des abus de la dialectique.

Ce verbiage impatiente Thrasymaque, un des interlocuteurs.

«Plusieurs fois, pendant notre entretien, Thrasymaque s'était efforcé de prendre la parole pour nous contredire. Ceux qui étaient auprès de lui l'avaient retenu, voulant nous entendre jusqu'à la fin. Mais, lorsque la discussion s'arrêta, et que j'eus prononcé ces dernières paroles, il ne put se contenir plus longtemps, et, prenant son élan comme une bête sauvage, il vint à nous comme pour nous mettre en pièces. La frayeur nous saisit, Polémarque et moi. Élevant ensuite une voix forte au milieu de la compagnie:

«—Socrate, me dit-il, que signifie tout ce verbiage? et à quoi bon ce puéril échange de mutuelles concessions?

«Veux-tu savoir sincèrement ce que c'est que la justice?

«Ne te borne pas à interroger les gens, et à faire vanité de réfuter ensuite leurs réponses, quand tu sais bien qu'il est plus aisé d'interroger que de répondre; réponds à ton tour, et dis-nous ce que c'est que la justice. Et ne va pas me dire que c'est ce qui convient, ce qui est utile, ce qui est avantageux, ce qui est lucratif, ce qui est profitable; fais une réponse nette et précise, parce que je ne suis pas homme à me payer de ces niaiseries.

«À ces mots, épouvanté, je le regardai en tremblant, et je crois que j'aurais perdu la parole s'il m'avait regardé le premier; mais j'avais déjà jeté les yeux sur lui, au moment où sa colère éclata par ce discours. Je fus donc en état de lui répondre, et lui dis avec un peu moins de frayeur:—Ô Thrasymaque, ne t'emporte pas contre nous.»

X.

Socrate laisse Thrasymaque déborder en un interminable discours contre l'utilité de la justice; puis il reprend:

«Fais-moi la grâce de me dire si un État, une armée, une troupe de brigands, de voleurs, ou toute société de ce genre, pourrait réussir dans ses entreprises injustes si les membres qui la composent violaient les uns à l'égard des autres les règles de la justice?

«—Elle ne le pourrait pas.

«—Et s'ils les observaient?

«—Elle le pourrait.

«—N'est-ce point parce que l'injustice ferait naître entre eux des séditions, des haines et des combats, au lieu que la justice y entretiendrait la paix et la concorde?

«—Soit, pour ne pas avoir de démêlés avec toi.

«—On ne peut mieux, mon cher. Mais, si c'est le propre de l'injustice d'engendrer des haines et des dissensions partout où elle se trouve, elle produira sans doute le même effet parmi les hommes libres ou esclaves, et les mettra dans l'impossibilité de rien entreprendre en commun?

«—Oui.

«—Et si elle se trouve en deux hommes, ne seront-ils pas toujours en dissension et en guerre, et ne se haïront-ils pas mutuellement, comme ils haïssent les justes?

«—Ils le feront.

«—Mais quoi! pour ne se trouver que dans un seul homme, l'injustice perdra-t-elle sa propriété, ou bien la conservera-t-elle?

«—Qu'elle la conserve, à la bonne heure.

«—Telle est donc la nature de l'injustice, qu'elle se rencontre dans un État ou dans une armée, ou dans quelque autre société, de la mettre d'abord dans une impuissance absolue de rien entreprendre par les querelles et les séditions qu'elle y excite; et ensuite de la rendre ennemie et d'elle-même, et de tous ceux qui lui sont contraires, c'est-à-dire des hommes justes, n'est-il pas vrai?

«—Oui.

«—Ne se trouvât-elle que dans un seul homme, elle produira les mêmes effets: elle le mettra d'abord dans l'impossibilité de rien faire, par les séditions qu'elle excitera dans son âme, et par l'opposition continuelle où il sera avec lui-même; ensuite elle le rendra son propre ennemi et celui de tous les justes; n'est-ce pas?

«—Soit.

«—Mais les dieux ne sont-ils pas justes aussi?

«—Supposons-le.

«—L'homme injuste sera donc l'ennemi des dieux, et le juste en sera l'ami.

«—Courage, Socrate, régale-toi de tes discours! je ne te contredirai pas, pour ne pas me brouiller avec ceux qui nous écoutent.

«—Hé bien, prolonge pour moi la joie du festin, en continuant à répondre.

XI.

«Nous venons de voir que les hommes justes sont meilleurs, plus habiles et plus forts que les hommes injustes; que ceux-ci ne peuvent rien faire de concert; et c'était une supposition gratuite que de supposer que des gens injustes aient jamais rien fait de considérable de concert et en commun, car, s'ils eussent été tout à fait injustes, ils ne se seraient pas épargnés les uns les autres. Évidemment, il faut qu'il y ait eu entre eux un reste de justice qui les ait empêchés d'être injustes entre eux, dans le temps qu'ils l'étaient envers les autres, et qui les a fait venir à bout de leurs desseins.

«À la vérité, c'est l'injustice qui leur avait fait former des entreprises criminelles; mais elle ne les avait rendus méchants qu'à demi, car ceux qui sont entièrement méchants et injustes sont par cela même dans une impuissance absolue de rien faire. C'est ainsi que la chose est réellement, et non pas comme tu le disais d'abord.

«Il nous reste à examiner si le sort du juste est meilleur et plus heureux que celui de l'homme injuste.»

Il poursuit et termine en remontant à l'essence de l'âme, qui, selon lui, est composée de vertu.

«L'âme, dit-il, n'a-t-elle pas sa vertu particulière?

«—Oui.

«—L'âme dépourvue de cette vertu (qui est son essence) pourra-t-elle jamais s'acquitter bien de ses fonctions?

«—Cela est impossible.

«—Mais celui qui vit bien est heureux, celui qui vit mal est malheureux?

«—Assurément.

«—Donc le juste est heureux, et l'injuste est malheureux.

«—À merveille, Socrate: voilà ton bouquet des idées!»

On voit que tout repose, dans cette philosophie, sur les doctrines du Phédon, qui supposent l'âme créée par Dieu, avec des idées innées et fatales qui forment sa conscience, sa nature comme sa morale, doctrines que nous croyons aussi vraies que celles qui attribuent à la matière ou au corps des instincts ou des lois absolues qui font sa nature, et au-dessus de toute discussion.

XII.

Dans le deuxième livre de la République, après avoir magnifiquement développé cette idée de la divinité de la justice, le dialogue passe du particulier au général. On examine si la justice, vertu de l'individu, n'est pas logiquement aussi vertu de l'État.

«Qui est-ce qui a donné naissance aux États?

«Voyons, dit Socrate: c'est, selon moi, l'impuissance de chaque individu isolé de se suffire à lui-même. Ainsi, le besoin d'une chose ayant poussé un homme à se joindre à un homme, la multiplicité des besoins a réuni dans une même demeure plusieurs hommes pour s'entr'aider, et nous avons donné à cette association le nom dérivant d'État.»

Les fondements de l'État sont donc nos besoins, et, de cette vérité, Platon, dérivant tout à coup des spécialités de besoins, qui demandent des spécialités de fonctions pour les satisfaire, établit des catégories de citoyens et des castes de professions correspondantes à tous ces besoins.

On voit tout de suite ce que devient la liberté matérielle, morale et politique de l'individu. Puis il passe à la catégorie capitale des gardiens de l'État, les soldats, et, dans la vue de former cette catégorie de défenseurs de l'État avec toutes les conditions et les vertus de la profession, il se jette dans des utopies presque aussi révoltantes et aussi absurdes que les utopies des blasphémateurs de la propriété, des destructeurs de la famille et des expropriateurs de nos jours.

Et d'abord, il s'occupe de leur éducation sur les genoux des nourrices; il en exclut les fables qui défigurent les dieux dans l'imagination de ce premier âge; il prescrit pour cela des règles aux poëtes, pour qu'ils n'attribuent aux dieux, dans leurs œuvres, que le bien et jamais le mal; il leur défend de faire craindre la mort à ces hommes par la déception des enfers; il n'autorise le mensonge que dans les magistrats, pour l'utilité du peuple, maxime honteuse qui honore dans l'État le crime contre la vérité puni dans le citoyen, sophisme qui rappelle les deux morales de Machiavel, de Mirabeau, de tous les faux politiques, une morale pour la vie privée, une pour la vie publique; absolution philosophique des crimes d'État.

Platon flétrit ensuite Homère, pour avoir donné aux dieux des passions humaines.

XIII.

«Tu diras peut-être, continue-t-il, que toutes ces institutions ne concordent pas avec le plan de notre République, etc...

«Oui, sans doute, c'est une chose particulière à notre République, que chacun n'y fait qu'un seul métier, que le cordonnier n'y est que cordonnier, et non pas, en outre, pilote; le laboureur, laboureur, et non pas, en même temps magistrat; le guerrier, guerrier, et non pas aussi commerçant. Et ainsi de tous les autres..., etc.»

«Et si jamais, ajoute-t-il, un homme habile dans l'art d'exercer divers rôles venait dans notre République et voulait nous réciter ses poëmes, nous lui rendrions honneur comme à un être divin, privilégié, enchanteur; mais nous lui dirions qu'il n'y a pas d'homme comme lui dans notre République, et, après avoir répandu des parfums sur sa tête et l'avoir couronné de fleurs, nous le proscririons de l'État.»

Si cette division des facultés et des professions ne vient pas de l'Inde, par une servile imitation des castes, elle prélude à cette division moderne du travail, mutilation tout industrielle des facultés de l'homme, qui fait d'excellents ouvriers machines, et de détestables hommes pensants.

XIV.

Platon règle ensuite tout aussi arbitrairement, dans sa République, la musique, la médecine, l'amour, la justice. Il donne à la vieillesse vertueuse l'autorité et le gouvernement. Il veut que les gardiens de l'État et les guerriers ne possèdent rien en propre, comme dans nos ordres monastiques du moyen âge.

«Je veux qu'ils vivent ensemble, assis à des tables communes.

«Dès qu'ils auraient en propriété des terres, des maisons, de l'argent, ils deviendraient économes et orgueilleux: de défenseurs de l'État, ils deviendraient ses ennemis et ses tyrans.

«—Ils ne seront pas heureux, lui objecte Adimante.

«—C'est possible, lui répond le législateur chimérique, mais nous ne fondons pas un État pour qu'une classe de citoyens soit heureuse; nous avons en vue le bonheur de tous et non celui des individus.»

En sorte que, par une absurdité d'utopiste, le bonheur de tous se composerait du malheur de chacun!

Il va plus loin, et il interdit aux ouvriers, laboureurs ou potiers, de s'enrichir, car, dit-il, ils deviendraient oisifs ou moins bons ouvriers.

En sorte encore qu'il veut le travail et l'habileté avec la récompense inverse de l'habileté et du travail! Cela ne ressemble-t-il pas presque à l'égalité des salaires, que des utopistes de la même école nous recommandaient il y a quinze ans?

Il interdit toute nouveauté dans les arts ou dans les mœurs à sa République.

Il n'interdit pas moins rudement toute émulation et tout progrès social à sa démocratie:

«Mais, si celui que la nature a destiné à être artisan ou mercenaire, enorgueilli de ses richesses, de son crédit, de sa force ou de quelque autre avantage semblable, entreprend de s'élever au rang des guerriers, ou le guerrier à celui des magistrats, sans en être digne; s'ils faisaient échange et des instruments de leurs emplois et des avantages qui y sont attachés, ou si le même homme entreprenait d'exercer à la fois ces divers emplois, alors tu croiras sans doute avec moi qu'un tel changement, une telle confusion de rôles, serait la ruine de l'État?

«—Infailliblement.

«—Ainsi donc, réunir ces diverses fonctions, ou passer de l'une à l'autre, c'est ce qui peut arriver de plus funeste à l'État et ce qu'on peut très-bien appeler un véritable crime.»

XV.

La communauté des femmes et des enfants, ce scandale de la raison et ce sacrilége contre la nature, est un des fondements de sa société. Écoutez, non plus ce rêve, mais ce délire philosophique, hélas! aussi renouvelé de nos jours par des hommes qui ne se croient philosophes que quand ils ont cessé d'être hommes:

«Les hommes, nés et élevés comme nous avons dit, n'ont rien de mieux à faire, selon moi, touchant la possession et l'usage des femmes et des enfants, qu'à suivre la route que nous avons tracée en commençant. Or nous avons représenté les hommes comme les gardiens d'un troupeau.

«—Oui.

«—Suivons cette idée, en donnant aux enfants une naissance et une éducation qui y répondent, et voyons si cela nous réussira ou non.

«—Comment?

«—Le voici. Croyons-nous que les femeles des chiens doivent veiller comme eux à la garde des troupeaux, aller à la chasse avec eux, et faire tout en commun, ou bien qu'elles doivent se tenir au logis, comme si la nécessité de faire des petits et de les nourrir les rendait incapables d'autre chose, tandis que le travail et le soin des troupeaux seront le partage exclusif des mâles?

«Nous voulons que tout soit commun. Seulement, dans les services qu'on réclame, on a égard à la faiblesse des femelles et à la force des mâles.»

Il veut que les femmes, jeunes et vieilles, soient exercées à la gymnastique, devant le peuple, dans la nudité des athlètes. Des instincts de la nature il ne conserve pas même la pudeur!

Il veut que le magistrat accouple les hommes et les femmes les plus parfaits physiquement et moralement pour produire des enfants perfectionnés: «Il faut, dit-il, élever les enfants de ces couples parfaits, et non ceux des couples viciés.»

Il veut que les magistrats maintiennent, par des mesures restrictives, la population de l'État toujours au même niveau.

XVI.

Écoutez encore; l'infanticide est à peine déguisé sous les mots:

«Les enfants, à mesure qu'ils naîtront, seront remis entre les mains des hommes et des femmes réunis, et qui auront été préposés au soin de leur éducation, car les charges publiques doivent être communes à l'un et à l'autre sexe.

«—Oui.

«—Ils porteront au bercail commun les enfants des citoyens d'élite, et les confieront à des gouvernantes qui auront leur demeure à part dans un quartier de la ville. Pour les enfants des citoyens moins estimables, et même pour ceux des autres qui auraient quelque difformité, ils les cacheront, comme il convient, dans quelque endroit secret et qu'il sera interdit de révéler.

«—Oui, si l'on veut conserver dans toute sa pureté la race des guerriers.

«—Ils veilleront à la nourriture des enfants, en conduisant les mères au bercail, à l'époque de l'éruption du lait, après avoir pris toutes les précautions pour qu'aucune d'elles ne reconnaisse son enfant; et, si les mères ne suffisent point à les allaiter, ils se procureront d'autres femmes pour cet office; et même, pour celles qui ont suffisamment de lait, ils auront soin qu'elles ne donnent pas le sein trop longtemps.»

Suivent des détails que la pudeur écarte de l'âme.

N'est-ce pas là l'origine de la plupart des utopies soi-disant maternelles de J.-J. Rousseau, ce Platon de Genève, dans l'Émile, le plus beau des styles, la plus contradictoire des utopies?

Les précautions que Platon décrit pour prévenir la confusion des parentés et le danger des incestes dans cette promiscuité légale des sexes, ne sont pas moins impudiques que ridicules. Oh! que la nature est un plus grand philosophe que ces sophistes!

XVII.

Quant à la communauté des biens, le plus grand avantage que Platon y voie, c'est la suppression des procès. On n'inventerait pas de pareils truïsmes. Lisez:

«Et puis, la chicane et les procès ne sortiront-ils pas d'un État où personne n'aura rien à soi que son corps et où tout le reste sera commun?

«D'où viendraient toutes les dissensions qui naissent parmi les hommes à l'occasion de leurs biens, de leurs femmes et de leurs enfants, lorsque la matière de toute dissension sera ôtée?

«Tous ces maux seront nécessairement prévenus.

«Il n'y aura non plus aucun procès pour sévices et violences: car nous dirons qu'il est juste et honnête que les personnes du même âge se défendent les unes les autres, déclarant inviolable la sûreté individuelle.»

Nous sommes étonnés, en lisant de pareilles naïvetés, soi-disant philosophiques, que quelqu'un ne propose pas aussi de supprimer le corps pour supprimer l'ombre!

Et cependant Platon s'irrite, à la fin du cinquième livre, que des sophistes tels que lui ne soient pas charges exclusivement de gouverner les hommes!

«Tant que les philosophes ne seront pas rois, ou que ceux qu'on appelle aujourd'hui rois et souverains ne seront pas vraiment et sérieusement philosophes; tant que la puissance politique et la philosophie ne se trouveront pas ensemble, et qu'une loi supérieure n'écartera pas la foule de ceux qui s'attachent exclusivement aujourd'hui à l'une ou à l'autre, il n'est point, ô mon cher Glaucon, de remède au maux qui désolent les États, ni même, selon moi, à ceux du genre humain, et jamais notre État ne pourra naître et voir la lumière du jour.

«Voilà ce que j'hésitais depuis longtemps à dire, prévoyant bien que je révolterais par ces paroles l'opinion commune; en effet, il est difficile de concevoir que le bonheur public et particulier tienne à cette condition.

«—Mais dis-moi, reprend le disciple, de tous les gouvernements, lequel convient au philosophe?

«—Aucun.»

Quel philosophe que celui qui ne peut s'accommoder d'aucune chose humaine!

XVIII.

Platon conclut de là qu'au lieu de plier le philosophe à la nature des choses, il faut contraindre la nature à la philosophie, et il part de là pour rêver, comme J.-J. Rousseau, un système d'éducation qui transforme les hommes.

Ce système d'enseignement consiste dans une métaphysique tellement éthérée qu'elle échappe à l'intelligence; c'est prétendre planer au sommet sans avoir gravi les degrés qui y montent. Cette éducation ne sera terminée qu'à cinquante ans; c'est une suite d'examens et d'épreuves qui viennent sans doute, dans l'esprit de Platon, des initiations d'Égypte et qui rappellent assez le mandarinat chinois.

Cependant il ne prédit pas l'éternité à sa République; il reconnaît l'instabilité organique des choses humaines; il ne croit pas à ce beau rêve moderne d'un progrès indéfini et continu dans la race. Il attribue la ruine future de son institution à l'erreur des magistrats, qui n'auront pas suffisamment bien accouplé les pères et les mères des générations à naître.

XIX.

Il traite ensuite épisodiquement des formes du gouvernement oligarchique, qui périt par la cupidité et par hostilité qui s'établit entre les riches et les pauvres. Il définit aussi le gouvernement démocratique:

«La démocratie arrive quand les pauvres, ayant remporté la victoire sur les riches, massacrent les uns, chassent les autres et partagent également avec ceux qui restent l'administration des affaires et les charges publiques, lesquelles, dans ce gouvernement, sont données par le sort pour la plupart.

«Par conséquent un pareil gouvernement doit offrir, plus qu'aucun autre, un mélange d'hommes de toute condition.

«Vraiment, cette forme de gouvernement a bien l'air d'être la plus belle de toutes, parce que, grâce à la liberté, il renferme en soi tous les gouvernements possibles.»

Platon critique ensuite ironiquement les vices propres à toute nature de gouvernement démocratique. Il montre comment un jeune homme, flatteur du peuple, finit par y devenir l'idole de la multitude et par affecter la tyrannie, troisième forme de cette rotation éternelle des gouvernements humains.

Ainsi, dans un État, comme dans un particulier, ce qui doit succéder à l'excès de liberté, c'est l'excès de servitude.

Il fait ici la théorie de la tyrannie en homme qui l'avait pratiquée, puis il montre le tyran malheureux et puni par sa propre toute-puissance.

XX.

Le dixième livre est une invective philosophique contre les passions et contre les poëtes; contre Homère principalement, le plus grand de tous. On dirait que Platon est jaloux de la divine sagesse du poëte, mille fois plus philosophe et plus politique que lui. Il n'admet dans sa République que des hymnes en l'honneur des dieux; toutes les œuvres d'agrément sont proscrites.

Ici une longue digression sur l'immortalité de l'âme interrompt ses plans politiques. Il raconte la descente aux enfers d'un Arménien laissé pour mort sur un champ de bataille et qui revient, après dix jours, raconter ce qu'il a vu des supplices des morts.

Cette partie de la République semble avoir été la première esquisse du poëme de Dante, empruntée originairement de Platon. Les supplices mêmes se ressemblent dans les deux visions du philosophe grec et du poëte toscan; on y retrouve jusqu'aux cercles inférieurs du Dante. Nous ne voyons pas qu'aucun des commentateurs du Dante ait fait cette remarque jusqu'ici.

Et le tout finit par une homélie vague en l'honneur de la vertu.

XXI.

Voilà la fameuse République de Platon. Elle a servi depuis de texte à mille rêveries prétendues sociales et politiques, mais qui ne sont, en réalité, ni politiques, ni philosophiques, ni même poétiques, à l'exception de la descente de l'Arménien aux enfers. Cette énorme chimère en dix livres se résume dans cinq ou six énormités aussi paradoxales qu'impraticables; c'est le contre-pied de la nature, de l'expérience et de l'histoire: un monde renversé.

La division du peuple en professions arbitraires et infranchissables;

La suppression de la propriété, seule responsabilité de l'homme rétribué héréditairement par son travail;

La communauté des biens, c'est-à-dire de la misère;

La communauté des femmes et des enfants, qui supprime du même coup les trois amours dont se perpétue l'espèce humaine: l'amour conjugal, l'amour maternel, l'amour filial, et toutes les vertus aussi humaines que divines qui émanent de ces trois sources d'amour;

L'impudeur, aussi flagrante que l'impudicité, dans cette gymnastique des femmes de tout âge s'exerçant nues devant le peuple à des luttes dégoûtantes d'obscénité;

Le meurtre des enfants mal conformés, punissant le tort de la nature par la mort de ses victimes;

La population maintenue, au moyen d'une loi révoltante, au même nombre par l'immolation des hommes nés en dépit de la loi;

Les arts, proscrits de cette démocratie des métiers, de peur que l'esprit ne se corrompe par ses plus belles manifestations intellectuelles;

Enfin, on ne sait quel gouvernement de vieillards, écoliers jusqu'à cinquante ans dans des gymnases de sophistes, et n'arrivant au gouvernement qu'à l'âge où les passions généreuses meurent généralement dans l'homme en même temps que les passions fougueuses, c'est-à-dire un gouvernement d'eunuques sur un troupeau de brutes esclaves:

Voilà, encore une fois, ce délire d'un philosophe que l'on continue à appeler le divin Platon!

Si un tel politique est divin, Dieu n'est plus Dieu! Car il n'y a pas une des lois du philosophe qui ne soit la négation des lois de la nature promulguées par la divinité de nos instincts sociaux.

XXII.

La politique, selon nous, n'est en effet que la nature, étudiée avec intelligence et respect dans les instincts sociaux de l'homme; la nature, révélée par ces instincts, vivifiée par l'expérience, promulguée en lois et instituée en gouvernement par les législateurs de génie de tous les pays et de tous les siècles.

Que nous disent ces instincts, depuis que l'homme est né de la femme, pour enfanter à son tour dans son union avec la femme des enfants qui le font revivre à perpétuité dans sa race, et qui immortalisent dès ici-bas l'humanité?

Ces instincts nous disent précisément le contraire de ce que le philosophe institue dans ses prétendues lois; suivons ces lois une à une.

Platon, de qui descendent, par une filiation de démence, ces niveleurs radicaux de nos jours, destructeurs en idée de la propriété, dont ils sont nés et dont ils vivent, Platon défend aux membres de son troupeau humain de rien posséder en propre.

Or que dit l'instinct, ce législateur inné de la société humaine?

Il dit que la propriété est la première loi de la nature. L'homme ne vit que des choses qu'il s'approprie, c'est-à-dire qu'il incorpore à son être. Il s'approprie l'espace, par la place qu'il y occupe et dont on ne peut le priver qu'en le tuant; il s'approprie le temps, par la durée plus ou moins prolongée qu'il lui emprunte; il s'approprie la lumière, par le regard, qui fait entrer tout ce qui est visible dans son âme à travers ses yeux; il s'approprie les bruits, les sons, les paroles, les significations des paroles, par l'oreille; il s'approprie l'air nécessaire à sa poitrine, par la respiration; il s'approprie les fruits et les aliments de la terre indispensables à sa conservation, par la main et par la bouche; et, quelle que soit l'étendue de ses possessions ou de ses domaines, il ne peut s'approprier réellement et corporellement en effet que la partie de ces éléments ou de ces aliments nécessaires à ses cinq sens: le surplus, sous une forme ou sous une autre, retourne aux autres hommes, qui ont le même droit de vivre que lui.

Cette loi d'appropriation universelle a été la loi primitive de toute propriété. L'homme est un être propriétaire; celui qui le nie n'a pas lu les premières lettres du code de la nature. La propriété, c'est la vie: voilà l'axiome vraiment philosophique; quiconque dépossède tue!

XXIII.

Mais l'homme social n'est pas seulement individu, il est être collectif; il se compose du père, de la mère et de l'enfant; le père, la mère, l'enfant, voilà la trinité terrestre ou plutôt voilà l'unité humaine, voilà la famille. L'homme isolé n'est pas tout entier homme, car il n'a pas la faculté de se reproduire et de se perpétuer. C'est la famille qui est l'homme, car elle est l'homme dans les trois temps de son être: le passé, le présent, l'avenir. L'homme a le jour, la famille seule a la perpétuité; la famille, c'est la vie de l'humanité.

Or, du jour où l'homme s'est uni à la femme, il a senti doubler en lui l'instinct de la propriété, car, ce qu'il s'appropriait pour un, il a fallu songer à l'approprier pour deux, c'est-à-dire pour lui et sa compagne. Et, du jour où il a eu un fils, il a senti tripler en lui l'instinct sacré de l'appropriation, car, ce qu'il s'appropriait pour deux, il a fallu songer à se l'approprier pour trois; et, quand la famille a multiplié encore par la fécondité de sa compagne, il a senti multiplier d'autant l'instinct, et, disons plus juste, le droit de son appropriation.

Mais, quand il a vu naître des fils de ses fils, et que sa famille, en s'étendant à l'infini, lui a montré au-delà de lui la multitude indéfinie de sa génération future, son instinct de propriété s'est multiplié dans la même proportion, c'est-à-dire à l'infini en lui, et cela non plus pour le temps, c'est-à-dire pour une jouissance viagère, mais pour autant de temps que sa famille subsistera sur la terre, c'est-à-dire à perpétuité.

De là est née, non d'une usurpation ou d'un caprice, mais de là est née d'une nécessité et d'un droit, l'hérédité de la propriété, aussi logique que l'hérédité du sang dans les mêmes veines.

Celui donc qui, comme Platon, défend à ses sujets ou à ses disciples de rien posséder en propre, défend à l'individu de suivre la loi même physique de la nature, et défend à la famille, ce nid de l'humanité, réchauffé de tendresse, pourvu d'aliment et couvé de prévoyance, de se fonder et de se conserver ici-bas. Il ne resterait plus à un pareil législateur qu'à interdire le mariage et qu'à honorer le célibat philosophique pour consommer autant qu'il serait en lui le suicide de l'espèce humaine!

XXIV.

D'autres philosophes de l'Orient ne se sont pas arrêtés devant ce suicide de l'espèce, témoin les faquirs de l'Inde et les monastères du Thibet. Une fois entré dans le domaine du sophisme contre nature, il y a toujours un fou qui en dépasse un autre: la démence a son émulation comme le génie. Les instincts seuls ramènent le monde à la vérité.

Aussi voyez combien, dans son utopie d'éducation des enfants sans mère, Platon s'enfonce dans l'absurde en contredisant la nature, plus divine heureusement que lui!

XXV.

La nature a donné à la mère un admirable instinct d'amour pour l'enfant sorti de son sein, formé de son sang, et à qui la nature a préparé, avant de l'appeler au jour, un berceau tiède et un lait nourrissant sur le sein de la femme. Cet instinct d'amour, qui se satisfait d'abord providentiellement pour l'enfant par le soulagement que la mère éprouve à donner son lait, devient ensuite une habitude de tendresse maternelle qui transforme l'attrait physique en sollicitude morale, et qui attache la mère à l'enfant et l'enfant à la mère, comme la branche au bourgeon, comme le fruit à la tige.

Une mère est une providence innée que chaque enfant trouve d'avance couchée près de son berceau, debout près de sa jeunesse. Que pourrait inventer de mieux un législateur, s'il avait la nature à sa disposition et s'il était chargé de perpétuer et de moraliser l'espèce humaine? Nous défions les utopistes d'inventer un plus beau et plus doux poëme que celui-là!

Eh bien, que fait Platon? Il bouleverse à l'instant ce divin poëme de la maternité; il défend à la mère de connaître son enfant, à l'enfant de se suspendre à la mamelle de sa mère; il condamne celle-ci à subir les souffrances de la gestation et de l'enfantement, à faire tarir dans son sein le lait providentiel qui demande à couler ou qui reflue avec fièvre et danger de mort au cœur de la mère.

Il enrôle à prix d'argent une bande de nourrices mercenaires, fécondées on ne sait par qui ni comment, et il charge cette cohue d'allaiteuses prostituées, sous la direction de matrones indifférentes, de nourrir et d'élever en commun la génération future de son peuple.

Personne n'aura ainsi ni père ni mère; personne ne sera ni mère ni père, à son tour; égalité d'abandon, de misère et d'ignorance de son origine! C'est-à-dire, en deux mots, qu'il faut un troupeau au lieu d'une humanité.

Pire qu'un troupeau, car dans le troupeau le petit tette, connaît et caresse sa mère; mais le petit de l'homme et de la femme sucera le sein de l'étranger et ne connaîtra que le lait vénal de la nourrice mercenaire payée par l'État.

XXVI.

C'est là aussi la conséquence immédiate et forcée de toutes les utopies de communautés des biens que nous avons vues se renouveler sous différents noms depuis deux mille ans en Orient et en Occident, et depuis J.-J. Rousseau et leurs plagiaires de ces derniers temps.

Platon est le générateur de toutes les utopies contre nature; c'est le patron du radicalisme dans tout l'univers; ses rêves ont égaré en législation même les premières sectes chrétiennes. Dans toutes les erreurs sociales du monde, vous retrouverez une réminiscence de Platon!

Que dire enfin de l'immolation légale des enfants moins bien conformés que les autres, afin de purifier l'espèce physique en dépravant l'espèce morale? Y a-t-il rien de plus contraire à l'instinct de tendresse, de pitié, de sollicitude privilégiée, qui attendrit et qui affectionne les mères, les pères, les étrangers même, à proportion des infirmités et des faiblesses des êtres moins favorisés de la nature?

N'est-ce pas là la négation en pratique de cette plus belle vertu de l'instinct, la pitié? N'est-ce pas là le sacrilége contre la nature? Y a-t-il une vertu de la nature qui ne soit violentée et anéantie ainsi dans l'utopie de Platon et de ses disciples? Y a-t-il un vice qui ne soit cultivé et exalté par ce législateur à l'envers de la nature?

XXVII.

Enfin, à supposer qu'une société pût subsister de ce renversement de toutes les lois naturelles, de ce retournement de tous les instincts sociaux, vous le voyez encore:

Une première loi établissant un minimum de population au-dessous duquel il serait permis aux sexes de s'unir sous le choix et sous l'inspection des magistrats! Une autre loi de maximum de population au-dessus duquel il serait défendu de faire naître ou d'élever les enfants!

Si c'est là de la divinité, c'est la divinité de la démence!

Et, après tout cela, quelle société!

Société sans famille! société d'orphelins! société de pères et de mères d'occasion, sans affection survivant à leur accouplement! société d'Œdipes aveugles, meurtriers de leurs enfants! société sans ancêtres, société sans postérité, société sans propriété, société où la terre, qui a besoin elle-même de l'amour de son propriétaire pour être féconde, ne serait cultivée que par ordre des magistrats pour produire juste ce qui est nécessaire à la consommation du chiffre des hommes vivants, et dont les fruits mercenaires seraient distribués par rations égales à des râteliers du troupeau humain!

Société d'où seraient expulsés tous les arts qui ennoblissent, cultivent, consolent, sublimisent l'espèce humaine! société où Homère, Pindare, Phidias,

Praxitèle, Zeuxis, seraient proscrits pour crime de corruption de l'hébétement systématique de la multitude!

Société où les vieillards, hommes, femmes, déshérités de leur providence à eux, qui est la reconnaissance et la tendresse de leurs enfants, seraient condamnés à mort pour leur infirmité et pour leur faiblesse; comme les enfants mal nés, condamnés à être égarés dans les lieux sombres!

Y eut-il jamais un attentat de l'esprit contre les instincts plus impie et plus criminel ou plus stupide que la République du divin Platon?

XXVIII.

Voltaire, dont le bon sens d'acier se révoltait comme le nôtre contre les inconséquences de l'utopie dans Platon et dans J.-J. Rousseau son disciple, non en crime, mais en niaiseries sociales, Voltaire osait dire de Platon et de J.-J. Rousseau ce que nous n'oserions répéter ici; nous voudrions seulement que tous les utopistes radicaux de nos jours eussent sans cesse sous les yeux le miroir des institutions sociales du disciple rhétoricien, mais non philosophe, de Socrate, pour y contempler, avec leur propre image, les monstruosités du sophisme substituant la métaphysique, qui est de l'homme, aux instincts de la nature, qui sont de Dieu!

XXIX.

Arrêtons-nous, car cet abîme des utopies antisociales n'a pas de fond. On y roulerait jusqu'au néant, et c'est là cependant ce qu'on fait étudier ou admirer sur parole au genre humain, depuis plus de deux mille ans!

C'est là ce que le philosophe, dans son préambule du livre des Lois de Platon, appelle une politique qui n'est point séparée de la morale!

XXX.

Un livre où le traducteur cite ces pages, qui font rougir la pudeur et refluer tout instinct de famille jusqu'au fond du cœur scandalisé:

«Partout où il arrivera que les femmes soient communes, les enfants communs, les biens de toutes espèces communs, et où l'on aura retranché des relations de la vie jusqu'au nom même de propriété... on peut assurer que là est le comble de la vertu... Un tel État, qu'il ait pour habitants les dieux ou des enfants des dieux, est l'asile du bonheur parfait; il faut en approcher le plus possible!»

«La République de Platon, dit plus bas le philosophe français, est la conception d'un État fondé exclusivement sur la vertu!»

Quoi! la famille, que proscrit Platon, est donc l'opposé de la vertu? La paternité est donc un vice? La maternité est donc un crime? La tendresse filiale est donc un forfait? La propriété héréditaire, qui seule porte et perpétue ce groupe humain, est donc un attentat à la vertu?

Nous savons bien que l'éloquent commentateur français de Platon proteste par son bon sens contre l'exagération de son maître et proclame la famille sainte, la propriété bonne et sacrée. Mais ce n'est pas moins fausser l'entendement humain en politique que de présenter la République de Platon comme un idéal de gouvernement dont une législation doit se rapprocher.

XXXI.

M. Cousin, qui comprend tout de si haut, semble n'avoir pas assez sondé le danger d'offrir en admiration aux hommes des théories qui ne sont que des rêves contre la société possible: car la société est la première des réalités; les rêves la tuent.

Ce qu'il y a selon nous de plus contraire au progrès, c'est de marcher à contre-sens de la nature. Les instincts sont les sources des lois bien faites; tout ce qui ne découle pas directement des instincts s'égare; les instincts sont la logique de Dieu en nous.

En politique, un crime est moins funeste à la société qu'une chimère, et, si l'on me donnait à choisir entre Machiavel, le législateur du crime politique, et Platon, le législateur des rêves, je choisirais plutôt Machiavel, car Machiavel ne déprave que l'âme d'un tyran, et Platon déprave la liaison du genre humain!

XXXII.

Oh! quand donc, au milieu de tant de cours de sciences physiques, théologiques, économiques, mathématiques, métaphysiques, qui aiguisent l'intelligence professionnelle, mais qui quelquefois faussent l'intelligence générale de notre siècle, aurons-nous enfin un cours de bon sens politique, non pas calqué sur les utopies de Platon, mais dérivé de la nature de l'homme; retrouvant l'origine des lois dans ces législations innées qui sont nos instincts?

Il nous faudrait pour cela un second Montesquieu; le temps le demande et la Providence nous le doit. Le premier Montesquieu nous a fait l'Esprit des lois, le second nous ferait l'Esprit de la nature humaine; plus son plan social serait parfait, plus il s'éloignerait en tout de celui de Platon.

Au lieu de prendre le contre-pied de l'homme naturel et de l'homme historique, ce second Montesquieu suivrait pas à pas la nature humaine, pour lui faire des institutions à la mesure de ses organes, et non à la mesure de ses rêves.

Ne voit-on pas, dans plusieurs passages du premier Montesquieu, comme dans tant de pages de Voltaire, combien le législateur méprisait le sophiste?

XXXIII.

Après avoir lu dans la République de Platon comment il construit la société, on lit, dans ses Lois, comment il combine la législation, et comment il dégage confusément la forme politique, c'est-à-dire le gouvernement.

Il ne faut pas oublier que ce gouvernement, qui ne s'appliquait qu'à la petite municipalité d'une bourgade de quelques milliers d'âmes d'Athènes, pouvait être aussi arbitraire, aussi locale et aussi étroite que l'espace compris entre la muraille du Pirée et l'enceinte du Parthénon. Mais, même pour un si petit espace, la politique, pour être applicable, devait se mouler sur la nature, sur l'histoire, sur les traditions, sur les habitudes du peuple de Solon.

Il ne paraît pas qu'en cela Platon ait montré plus de bon sens pratique qu'il n'en a montré dans sa législation. C'était une tête comme J.-J. Rousseau, où tout le génie montait en rêves.

La question de la forme des gouvernements est cependant bien secondaire, comparée à la forme des sociétés: c'est la philosophie pratique qui décrète des lois; c'est le lieu, le temps, ce sont les mœurs, les hommes, qui décident du gouvernement. Il faut du génie pour la législation, il ne faut que du sens commun pour faire le gouvernement d'un peuple.

XXXIV.

La philosophie est absolue, la politique est relative: république, fédération, aristocratie, théocratie, démocratie, oligarchie, monarchie, dictature, tyrannie même, tout cela est bien ou mal selon les circonstances, les convenances, les nécessités du peuple, qui adopte ou qui répudie tour à tour ces formes bien ou mal appropriées à l'usage que le peuple veut en faire.

La Grèce, déchiquetée par la nature en détroits, en golfes, en îles et en presqu'îles, sans autre unité que la langue, ne pouvait être qu'une mosaïque de gouvernements, les uns monarchiques, les autres aristocratiques, ceux-ci démocratiques, ceux-là démagogiques, mal reliés par le lien d'une confédération confuse.

La Perse, où l'immensité de l'espace et les provinces séparées entre elles par des déserts et des chaînes de montagnes laissaient un grand arbitraire aux gouverneurs des satrapies, ne pouvait être qu'une monarchie militaire absolue. Il fallait que la force centrale réprimât sans cesse les rébellions de la circonférence.

Les Indes, où des révélations prétendues divines, expliquées dans l'origine et commentées sans cesse par les brahmines, avaient institué des castes serviles mais innombrables, ne pouvaient être soumises qu'à une théocratie inspirée d'en haut par des castes sacerdotales et gouvernée plus bas par des dynasties sacrées.

La Chine, patriarcale et sédentaire après avoir été nomade et pastorale, ne pouvait être qu'un despotisme paternel formé à l'exemple de la tribu, où le père est roi sans cesser d'être père.

Rome, association de brigands à son origine, pour ravager des voisins et se conquérir des territoires, ne pouvait être qu'une république militaire, soumise tour à tour à l'anarchie sanguinaire ou à la servitude féroce de cette nature d'institution armée.

Carthage, société de commerce et de navigation, comme aujourd'hui la Grande-Bretagne, ne pouvait être qu'un gouvernement mixte de marins, de soldats, de sénateurs enrichis, de pauvres acharnés à s'enrichir; un gouvernement à trois ou quatre pouvoirs contre-balancés par des intérêts; l'or devait être au fond de toutes ses expéditions comme au fond de toutes ses pensées. L'oligarchie royale ou républicaine était la forme obligée de ce gouvernement.

Plus tard, Rome, décomposée par sa grandeur et par ses vices, devait se sentir prête à laisser sa proie, à moins de resserrer sa serre par le despotisme et de se réfugier contre ses anarchies dans la servitude.

L'empire romain devait naître et mourir en peu de temps.

XXXV.

La nécessité de la lutte contre les Romains devait prédisposer aussi la Gaule et la Germanie à l'unité monarchique, qui concentre les forces nationales défensives; les chefs victorieux devaient logiquement devenir des rois. La monarchie, d'abord soldatesque, puis féodale, puis religieuse, puis nationale, puis populaire, devait naturellement s'y transformer et s'y adapter aux époques et aux instincts des nations.

L'Italie du moyen âge, démembrée par les invasions successives des peuples septentrionaux, et cependant respectée par eux comme siége de la religion nouvelle, devait se tronçonner en petites républiques presque municipales. Ces républiques, encore féroces de mœurs quoique avilies par leur petitesse, devaient lutter entre elles d'héroïsme, d'industrie, de commerce et d'arts. Le gouvernement démocratique, entrecoupé de fréquentes tyrannies, sortait logiquement d'une pareille situation.

L'Allemagne, vaste entrepôt des débordements de peuples de l'Orient ou du Nord délayés dans les peuples incohérents de la Germanie, devait se constituer en empire fédéral pour la guerre, en individualités nationales indépendantes pour la paix: république de monarchies où l'unité était impossible dans la forme, parce que l'unité manquait dans l'esprit.

L'Espagne, sorte d'Afrique européenne et d'avant-garde du catholicisme contre l'islamisme, devait être absolue comme son caractère oriental, inexorable comme sa théocratie militante. Charles-Quint, Philippe II, le duc d'Albe, l'Inquisition, l'ostracisme des races arabes de son territoire, la condamnaient à un gouvernement despotique et sacerdotal exprimé par une cour dans un couvent, l'Escurial.

Ce n'est qu'après le règne du sacerdoce que son gouvernement despotique devait se détendre, et que la monarchie représentative devait y introduire le goût et les institutions de la liberté.

L'Angleterre, emprisonnée dans une île sans proportion avec la grandeur de son intelligence, de son caractère et de son activité, devait, pour favoriser son expansion extérieure et pour conserver sa fierté au-dedans, se façonner un gouvernement nouveau dans le monde. Républicain dans ses chambres, dictatorial sur ses vaisseaux et dans ses colonies, monarchique dans sa cour, ce gouvernement seul correspondait à ses trois nécessités de situation: la liberté, la puissance, la stabilité; il sortait de sa nature.

XXXVI.

La France seule, par la diversité de son sol, de ses races, de ses caractères, de ses aptitudes, devait se plier, selon les heures de sa vie nationale, à toutes les formes de gouvernement.

La mobilité et l'universalité, c'est à la fois son défaut et sa vertu. Libre, sauvage et indomptée dans ses forêts de la Gaule, sacerdotale sous ses druides, chevaleresque sous ses Francs, féodale sous ses chefs militaires, municipale sous ses communes, monarchique sous ses rois, représentative sous ses états généraux, conquérante sous ses princes ambitieux, artistique sous ses Valois, fanatique sous ses ligueurs, anarchique dans ses dissensions religieuses, unitaire sous ses Richelieu et sous ses Louis XIV, agricole sous ses Sully, industrielle sous ses Colbert, lettrée sous ses Corneille et ses Racine, théocratique sous ses Bossuet, philosophe et incrédule sous ses Voltaire, réformatrice et révolutionnaire sous ses Fénelon et ses J.-J. Rousseau, constitutionnelle sous ses Mirabeau, démagogique sous ses Danton, républicaine et sanguinaire sous sa Convention, conquérante et despotique sous son Napoléon, insatiable de liberté sous sa dynastie légitime, agitée et indomptable sous sa dynastie élective de 1830, sublime, mais épouvantée d'elle-même, sous sa seconde république, rejetée par terreur de l'utopie sous l'épée d'un second empire; prête à tout ce qui peut la grandir, la sauver, l'illustrer ou la perdre; ni républicaine, ni constitutionnelle, ni monarchique, ni théocratique, mais changeante, révolutionnaire et contre-révolutionnaire selon les temps; nation de volte-face pour faire face, sous toutes les formes, à tous les événements, pour rester grande!

Voilà la France.

Si Platon avait eu à lui donner un gouvernement, il aurait dû lui donner le gouvernement des circonstances, la constitution de l'à-propos, un costume aussi varié et aussi souple que l'air élastique qui l'environne, un manteau de pourpre sans forme et sans couture comme celui dont se vêtaient les Arabes, ces Français d'Asie, se pliant à toutes les saisons et à toutes les attitudes pour le jour et pour la nuit, pour la paix et pour la guerre, pour l'autorité ou pour la liberté, devant elle-même et devant l'ennemi.

Aussi voyez son histoire: ce n'est pas celle d'un peuple, c'est celle de vingt peuples successifs et contradictoires; il n'y a d'unité en elle que l'unité de patriotisme. Elle a vécu, elle vit et elle vivra, parce qu'elle se transforme et qu'elle meurt et renaît sans cesse.

XXXVII.

Qu'est-ce qu'un pareil peuple aurait fait du gouvernement chimérique et pédantesque de Platon?

Le bon sens est son seul législateur possible. Ne vous étonnez pas de ses voltes, apparentes plus que réelles: elle a le gouvernement de ses instincts. Elle saura bien changer son gouvernement comme un vêtement à sa taille, retirer à soi le pouvoir quand il lui paraîtra la conduire hors de sa voie; redevenir république quand il lui faudra la force unanime et irrésistible du peuple pour opérer ces grands changements devant lesquels la monarchie, conservatrice de sa nature, faiblit ou recule; reprendre la monarchie quand elle redoutera le radicalisme, qui compromet tout en exagérant tout; le gouvernement représentatif quand il faudra délibérer et transiger; la dictature quand il faudra pacifier; le gouvernement militaire quand il faudra combattre.

Sa puissance indestructible, aux yeux d'un vrai philosophe, est précisément de savoir se changer. Tout est temporaire en elle, excepté sa durée.

XXXVIII.

La nature des différents gouvernements connus, depuis l'origine de l'histoire jusqu'à nos jours, est donc un démenti perpétuel aux théories politiques de Platon.

Si le vrai philosophe taille ses institutions sociales sur le patron de la nature humaine, il taille aussi ses institutions politiques sur le patron de l'expérience et de l'histoire.

C'était la politique d'Aristote, tout expérimentale et tout historique; c'était la politique de Socrate. Platon ne le fait évidemment intervenir dans ses dialogues sur la République et sur les Lois, que pour donner de l'autorité à ses rêves.

XXXIX.

Xénophon, disciple aussi, mais disciple plus sincère et plus littéral que Platon, parle de Socrate comme d'un philosophe aux yeux duquel les institutions sociales et politiques n'avaient qu'une importance très-secondaire, et qui s'occupait infiniment plus d'améliorer les hommes que de les constituer.

La question pour le vrai Socrate, c'étaient les dieux, ce n'étaient pas les lois.

Xénophon insinue même formellement que Socrate fut bien moins condamné à mort pour ses audaces contre la religion de l'État, que pour n'avoir pas voulu partager assez les rancunes des factions populaires qui lui reprochaient son indifférence politique.

En lisant attentivement Xénophon, nous avons acquis la presque certitude que dans les Dialogues, les choses sublimes et simples sont de Socrate, et les choses sophistiques et alambiquées sont de Platon.

Les Dialogues seront éternellement et justement lus et exaltés pour ce qui est de Socrate, éternellement et justement réprouvés comme sophistiques pour ce qui est de Platon.

C'est la traduction faussée d'une belle âme de l'humanité par un bel esprit d'Athènes.

XL.

En résumé, je vous en ai dit assez pour vous donner de la philosophie grecque, à son apogée, une idée que nous compléterons en étudiant bientôt ensemble la philosophie d'Aristote.

Aristote est le disciple sensé du disciple souvent si peu sensé de Socrate.

Il fut l'instituteur et le conseiller politique du plus grand des Grecs en génie, en politique et en héroïsme: Alexandre.

La philosophie de Socrate, quoique faussée par Platon, aura cet éternel mérite d'avoir été la première grande profession de foi spiritualiste du genre humain, non-seulement en Asie, mais en Europe. C'est par Platon que l'humanité de ce temps a su qu'elle avait une âme trois siècles avant la révélation du christianisme. La philosophie selon la raison précéda ainsi la philosophie selon la foi.

XLI.

Le Phédon est le plus beau drame humain avant le drame du Calvaire. Socrate en fut la victime; mais Platon, ce saint Paul du spiritualisme grec, mêla à la sublime doctrine de son maître tant de sophismes, tant de puérilités, tant de chimères et tant de dépravations d'idées, de lois, de mœurs, que cette pure philosophie socratique en fut viciée presque dans sa source, et qu'en se sanctifiant avec Socrate, on craint toujours de se corrompre avec Platon.

Lamartine.

LXXXIIIe ENTRETIEN.

CONSIDÉRATIONS SUR UN CHEF-D'ŒUVRE,
OU
LE DANGER DU GÉNIE.
LES MISÉRABLES, PAR VICTOR HUGO.

PREMIÈRE PARTIE.

I.

Je veux défendre la société, chose sacrée et nécessaire quoique imparfaite, contre un ami, chose délicate, qui laisse emporter son génie aux fautes de Platon dans le style de Platon, et qui, en accusant la société, résumé de l'homme, fait de l'homme imaginaire l'antagoniste et la victime de la société.

L'Homme contre la Société, voilà le vrai titre de cet ouvrage, ouvrage d'autant plus funeste qu'en faisant de l'homme individu un être parfait, il fait de la société humaine, composée pour l'homme et par l'homme, le résumé de toutes les iniquités humaines; livre qui ne peut inspirer qu'une passion, la passion de trouver en faute la société, de la renouveler et de la renverser, pour la refondre sur le type des rêves d'un écrivain de génie.

II.

C'est ainsi que le disciple de Socrate, après la mort de Socrate, l'homme pratique, son inspirateur; c'est ainsi que Platon écrivit sa République idéale, pandémonium de toutes les chimères, capable de donner le vertige à toute la démagogie d'Athènes, si Périclès n'était pas né pour rendre le bon sens aux philosophes, et la discipline volontaire au peuple qui vit de bon sens.

C'est ainsi que J.-J. Rousseau écrivit, mal éveillé, le Contrat social, capable de donner le fanatisme de l'absurde à toute la bourgeoisie lettrée de la France, jusqu'à ce que la rage de l'impossible, le delirium tremens de la nation, s'emparât du peuple et lui fît commettre des crimes, des meurtres et des suicides, qui remontent, comme l'effet à la cause, à de mauvais raisonnements.

C'est ainsi qu'ont procédé tous les écrivains dits socialistes de nos jours, avec de bonnes intentions et des têtes faibles, depuis Saint-Simon qui veut réhabiliter la chair et la boue, jusqu'à Fourier qui veut passionner l'instinct brutal et moraliser l'immoralité, pour que tout soit vertu et volupté sur la terre; jusqu'à cet homme sans nom qui veut anéantir le fait accompli, les droits antécédents et le travail de cinq ou six mille ans dans le monde qui nous précède et nous engendre, et qui déclare que la propriété c'est le vol, et qu'il faut recommencer sans elle; jusqu'au grand pontife des Mormons, qui recrée le harem religieux pour le plaisir de quelques prêtres de la population, et traîne des troupeaux de femelles à la suite du mâle dans les steppes des États-Unis d'Amérique, ce pays vacant et pratique de toutes les absurdités impraticables et bientôt punies, je l'espère.

C'est ainsi enfin qu'un homme, de bien plus de talent vrai que tous ces faux monnayeurs de ce qu'ils appellent l'idée, et de bien plus de style que tous ces frappeurs de mensonges à l'effigie de la vérité; c'est ainsi que Victor Hugo, jeté sur son île solitaire, et à qui les latitudes de l'espace, la liberté de l'étendue, la complaisance du vide, les ondulations de l'Océan, les orages, les bruits, les écumes, les senteurs âpres des vagues ont porté à la tête, agrandi les horizons, creusé les aperçus, donné souvent le sublime, quelquefois le vertige, attendri l'âme jusqu'à la sensibilité maladive du mal universel, et fait du cœur d'un poëte le grand muscle sympathique universel de l'humanité souffrante; c'est ainsi, disons-nous en fermant ce livre, que notre ami a pleuré ses larmes de colère sur son Patmos de l'Océan, et que ce saint Jean du peuple a cru écrire pour le peuple en écrivant en réalité contre lui! Car le peuple, c'est le sol même sur lequel toute société est construite; c'est l'élément dont toute société est faite, et, quand la société s'écroule, c'est lui qu'elle écrase le premier et le dernier!

III.

Relisons à tête reposée ce merveilleux livre, merveilleux d'utopie comme de saines inspirations; laissons en pâture aux échenilleurs de mots et de formes les impropriétés de termes, les exagérations de phrases, les mauvais jeux d'esprit, les impuretés de langue, les fautes lourdes et même les saletés de goût, flatterie indigne du génie élevé d'un grand poëte, cynisme de la démagogie, cette plèbe du langage, qui l'abaisse pour qu'il soit à son niveau, et qui le souille pour l'approprier à ses vices. Il ne s'agit pas de tout cela, qu'un trait d'encre sème sur la page et qu'un coup d'ongle efface, comme dit le latin: il y a dans le livre plus de pages qu'il n'en faut pour pouvoir en déchirer quelques-unes.

144/203

Relisons-le pour en contempler la puissance souvent colossale, pour en admirer la verve plus bouillante encore que dans la jeunesse, dans cette nature qui a déjà bouillonné soixante ans, tant il y a d'eau dans ce vase et de combustible dans ce foyer.

Relisons-le pour y sympathiser avec une sensibilité pathétique qui n'existait pas au même degré dans les années tendres de l'écrivain, et qui semble en vieillissant participer davantage à cette mélancolie de l'espèce humaine, à cette tristesse des choses mortelles, à ce mentem mortalia tangunt, à ce sublime lacrimæ rerum de Virgile, qui, lui aussi, avait vu des révolutions, des proscriptions, des déceptions humaines.

Relisons-le pour nous complaire et nous attendrir sur ces amours de deux êtres innocents, dans un jardin redevenu inculte, forêt vierge pour ce couple virginal de la rue Plumet, site que Bernardin de Saint-Pierre est allé chercher à l'île de France pour Virginie, Chateaubriand en Amérique pour Atala, et que Hugo a su découvrir tout fait et peindre en grisaille sans couleurs dans un vil faubourg de Paris, Éden dépaysé dont il est le Milton, le Théocrite, le Bernardin de Saint-Pierre et le Chateaubriand, avec plus de vérité, de larmes, de passions, de couleur et de lumière dorée que ces grands modèles.

Relisons-le surtout pour y rechercher ses sophismes involontaires sur l'ordre et le désordre social, pour lui faire comprendre comment ce qu'il imagine comme le remède serait l'empirisme de notre pauvre condition humaine; comment la vie, à quelque classe que l'on appartienne, n'est pas et ne peut pas être un sourire éternel de l'âme entre la faim, le travail et la mort; épreuve, oui, jouissance, non; et comment ceux qui, comme nous, sont condamnés à vie à cet emprisonnement cellulaire sur ce globe pour en expier un plus mauvais ou pour en mériter un meilleur, seraient révoltés jusqu'à la frénésie si l'on parvenait à leur faire croire que, pour les uns, ce globe est un Éden, pour les autres, un enfer, et que tout mal vient du distributeur du mal et du bien!

Une fois ce mensonge persuadé par les sophistes aux peuples, qu'y aurait-il à conclure? le désespoir, et après le désespoir, la fureur, et après la fureur, l'attaque et la défense à main armée; et après la défense et l'attaque à main armée, l'anéantissement de toute institution, et après l'anéantissement de tout ce qui fut et de tout ce qui est, quoi? le néant universel, l'anarchie du chaos!

C'est là qu'il faut éclairer, si on ne veut pas la maudire, la pensée évidemment tout autre de l'écrivain. C'est là ce qui me saisit l'esprit en fermant son livre.

Je me dis à moi-même: J'écrirai!

Mais, avant d'écrire, je réfléchis: et voici ce que je réfléchis.

IV.

J'ai toujours aimé Victor Hugo, et je crois qu'il m'a toujours aimé lui-même, malgré quelques sérieuses divergences de doctrines, de caractère, d'opinions fugitives, comme tout ce qui est humain dans l'homme; mais, par le côté divin de notre nature, nous nous sommes aimés quand même et nous nous aimerons jusqu'à la fin sincèrement, sans jalousie, malgré l'absurde rivalité que les hommes à esprit court de notre temps se sont plu à supposer entre nous.

Jalousie ridicule, puisque je ne fus jamais qu'un amateur désœuvré du beau, qui esquisse et qui chante au hasard, sans savoir le dessin ou la musique, et que Hugo fut un souverain artiste, qui força quelquefois la note ou le crayon, mais qui ne laissa guère une de ses pensées ou une de ses inspirations sans en avoir fait un immortel chef-d'œuvre: l'un ne demandant rien qu'au jour qui passe, comme un improvisateur sans lendemain; l'autre, prétendant fortement à gagner et à payer par le travail le salaire que la postérité doit au génie laborieux, un renom qui ne périt pas.

Et, d'ailleurs, l'ignoble jalousie de métier n'était pas dans notre nature.

L'envie n'est autre chose que le sentiment de quelque qualité qu'un autre possède et qui manque en nous. Ce vide fait souffrir, et de souffrir à haïr il n'y a pas loin. De quoi aurais-je souffert, puisque je me sentais plein de tout ce que je désirais contenir, en n'élevant jamais mes prétentions plus haut que ma stature? De quoi Hugo pouvait-il souffrir, puisqu'il se sentait vaste comme la nature? Il disait un jour (on m'a rapporté son mot):

«J'ai un avantage sur Lamartine: c'est que je le comprends tout entier, et qu'il ne comprend pas la partie dramatique de mon talent.»

C'était juste et c'était vrai.

V.

Je n'ai jamais compris les drames de son théâtre, et je m'en accuse. Je les ai applaudis quelquefois aux premières représentations; mais j'avoue que j'applaudissais de confiance, et, quand j'entendais le public les applaudir avec enthousiasme, je pensais que le public, seul juge en cette matière, avait raison, et que j'étais apparemment sourd de cette oreille. Je le pense encore et je n'en parle jamais, même à lui. Je ne nie pas mon incompétence pour un jugement; je ne prends pas ma taille pour mesure du génie dramatique; je ne dis pas: «Ce qui est plus haut que moi n'existe pas.»

VI.

Quoi qu'il en soit, c'est l'âge qui fait les idées, c'est la jeunesse qui fait les amitiés. J'aime Hugo, parce que je l'ai connu et aimé dans l'âge où le cœur se forme et grandit encore dans la poitrine; dans l'âge où les racines de notre vie, pleines encore de séve et de souplesse, s'attachent par leurs filaments les plus tendres à ce qui pousse, végète ou se rencontre seulement dans le même sol, et où, si ces racines viennent à se tordre, à se replier et à se nouer autour d'un caillou ou d'un bloc de granit, elles l'enserrent dans leurs nœuds, l'emportent en grandissant et le font pour ainsi dire végéter et vivre avec elles de leur propre substance, comme si l'arbre et la pierre n'étaient qu'une seule vie!

Je me souviens comme d'hier du jour ou le beau duc de Rohan, alors mousquetaire, depuis cardinal, me dit, en venant me prendre dans ma caserne du quai d'Orsay:

«Venez avec moi voir un phénomène qui promet un grand homme à la France. Chateaubriand l'a déjà surnommé enfant sublime. Vous serez fier aussi un jour d'avoir vu le chêne dans le gland.»

VII.

Nous partîmes. J'entrai sur les pas du duc de Rohan dans une maison obscure de la rue du Pot-de-Fer, au fond d'une cour, au rez-de-chaussée; un bourdonnement d'enfants qui répètent leurs leçons sortait des fenêtres basses, comme un bourdonnement de ruches qui font le miel au printemps. Un rayon oblique de soleil pénétrait dans la ruche; une mère, grave, triste, affairée, y faisait réciter des devoirs à des enfants de différents âges: c'étaient ses fils.

Elle nous ouvrit une salle basse, un peu isolée, au fond de laquelle un adolescent studieux, d'une belle tête lourde et sérieuse, écrivait ou lisait, loin du gai tumulte de la maison: c'était Victor Hugo, celui dont la plume aujourd'hui fait le charme ou l'effroi du monde.

Il avait déjà écrit cette élégie qui seyait si bien à un enfant-roi sur la mort d'un roi-enfant, Louis XVII, cette victime innocente de la brutale démagogie d'un savetier, bourreau volontaire. L'enfant-roi, sortant du sépulcre où on l'a jeté à la fosse commune, secoue son linceul et, rappelant ses souvenirs confus, s'écrie en revoyant la terre:

Où donc ai-je régné? demandait la jeune âme.

De telles inspirations étaient évidemment les pressentiments d'un grand poëte. Tout ce qui avait une âme sous un cœur quelconque en était ému.

VIII.

On peut changer de devoirs dans la vie, selon le temps, qui commande rudement aux vivants d'autres destinées qui sont des devoirs aussi, mais il ne faut pas répudier notre destinée initiale.

Les événements ont des vicissitudes, le cœur n'en a pas. Nous avons été contristés en lisant dans les Misérables un chapitre intitulé: Ce qu'on faisait en 1817. La Restauration fut notre mère; est-ce à nous de lui arracher son manteau après sa mort et de montrer sa nudité à ses ennemis pour leur donner la mauvaise joie de ses ridicules et de ses fous rires?

Non, la bienséance, même quand elle est triste, n'est pas seulement une convenance, elle est une vertu! C'est la fidélité des catastrophes; n'y manquons pas, le ridicule est le père des régicides.

Ce n'est pas à l'enfant sublime de Chateaubriand de donner le signal du rire aux hommes qui rient du malheur et de l'infirmité du vieillard.

Effacez ce chapitre: la verve moqueuse ne donne de l'esprit qu'aux méchants; le génie est bon, car il est divin.

Et puis une autre raison encore me fait aimer et respecter Victor Hugo: nous avons presque commencé ensemble cette longue traversée de la vie, où le hasard, qui est Dieu aussi, fait embarquer à la même date, sur la même nef, dans les mêmes circonstances et sur la même mer, ces passagers plus ou moins mémorables qu'on appelle des contemporains.

Nous avons navigué quarante ans ensemble à travers calme et tempêtes, orages et bonaces, vents contraires, variables, alizés, pour atteindre ce même bord de ce même autre monde que nous sommes près d'atteindre tous les deux.

Nous avons fait tous deux d'illustres naufrages: l'un, échoué sur un bel écueil, au milieu du libre Océan; l'autre, sur la vase d'une ingrate patrie, la quille à sec, les voiles en lambeaux, les mâts brisés, le gouvernail aux mains du hasard; l'un, plein d'espérances et de nobles illusions, ces mirages de la seconde jeunesse des hommes forts; l'autre, découragé, trouvant les hommes toujours les mêmes dans tous les siècles, et n'attendant d'eux dans l'avenir que l'éternelle vicissitude de leur nature, qui naît, qui se remue, qui se répète et qui meurt, pour se répéter encore jusqu'à satiété!

Lisez et comprenez l'histoire.

IX.

Je n'ai pas renoncé à l'espérance pour le genre humain; mais, comme un avare plusieurs fois volé, je l'ai placée, comme mon trésor, dans un autre monde où les hommes ne seront plus des hommes, mais des êtres de lumière et de justice, sans inconstance, sans ignorance, sans passions, sans faiblesses, sans infirmités, sans misères, sans mort, c'est-à-dire le contraire de ce qu'ils sont ici-bas: le monde des utopistes, le paradis des belles imaginations, la société d'Hugo et de ses pareils!

Quand on a navigué ainsi ensemble un certain nombre d'années, on arrive à s'aimer par similitude de destinées, par sympathie de spectacles et de misères, par conformité de lieux, de temps, de cohabitation morale dans un même navire, voguant vers un rivage inconnu.

Être contemporains, c'est presque être amis, si l'on est bons; la terre est un foyer de famille, la vie en commun est une parenté. On peut différer d'idées, de goûts, de convictions même, pendant qu'on flotte, mais on ne peut s'empêcher de sentir une secrète tendresse pour ce qui flotte avec vous.

Voilà mes sentiments pour Hugo; je crois que les siens sont identiques pour moi. Nous sommes divers, je ne dis pas égaux, mais nous nous aimons.

X.

Voici un souvenir qui me revient, et qui dit bien ce que nous sommes l'un à l'égard de l'autre.

Le lendemain de la répudiation du drapeau rouge, le dimanche qui suivit la révolution du 24 février 1848, le peuple bouillonnait encore sur la place de Grève, ce mont Aventin des insensés, où se proclamait la loi agraire de Paris.

Nous avions résolu, après la victoire symbolique du drapeau tricolore, de fixer la Révolution, qui reculait déjà dans le possible, en la passant en revue tout entière au milieu de la place de la Bastille, et de la rallier avec tous les citoyens et toute la garde nationale, cette raison et cette force irrésistibles, à la vraie France, en la montrant vaste, enthousiaste, unanime, aux démagogues et aux songe-creux de l'utopie.

Pendant que les derniers lambeaux de drapeaux rouges se détachaient des boutonnières et descendaient un à un des balcons et des fenêtres des maisons en face de l'Hôtel de Ville, d'épaisses colonnes, débouchant du quai, fendaient les flots de la multitude, se dirigeaient vers les portes comme un second débordement, et montaient à l'assaut des escaliers et des salles, apportant pour ultimatum l'organisation du travail, ce rêve-cauchemar d'un autre dormeur éveillé.

«Ouvrez-leur les portes toutes larges, et laissez-les entrer, eux et leurs songes,» criai-je du haut du balcon.

Ils inondèrent le palais.

Leur physionomie était honnête, mais tendue comme par une résolution sourde et décidée à ne rien modifier, par inintelligence de ses programmes.

J'allai au-devant d'eux dans une vaste enceinte, et, me plaçant devant une grande table qui rompait la colonne et qui m'empêchait d'en être submergé, j'attendis que la plénitude du lieu rendît la foule immobile, et, m'adressant aux premiers rangs, composés des chefs, au milieu desquels rayonnaient quelques belles figures d'artisans plus éclairées que les autres des rayons du bon sens qui transperce l'ignorance et la force brutale des masses:

«—Que demandez-vous de nous?» leur dis-je.

«—Nous voulons, me répondirent-ils, l'organisation du travail ou rien!» Et la salle entière retentit des vociférations approbatives de la résolution des chefs.

«—Pouvez-vous me dire ce que c'est que l'organisation du travail?» leur répliquai-je.

Ils se regardèrent et se turent.

«—Mais, c'est le travail organisé de manière que la concurrence soit détruite et n'avilisse pas nos produits et nos salaires.

«—Bien, dis-je; mais, si la concurrence est détruite, que devient le droit le plus précieux du travailleur, la liberté du travail?»

Ils s'embarrassèrent davantage, et firent un chaos de réponses confuses et contradictoires tellement absurdes et révoltantes que des foules d'objections et de murmures s'élevèrent de leurs propres rangs contre les solutions bizarres de ces métaphysiciens sur parole. Ce ne fut plus une discussion, ce fut un pandémonium d'absurdités.

Je demandai le silence.

«—Écoutez-moi bien,» leur dis-je alors en prenant résolument la parole; et bien m'en prit d'avoir profondément étudié trente ans l'économie politique pour leur classifier à eux-mêmes leurs tendances, et leur démontrer, dans une longue et cordiale improvisation, que ce qu'ils demandaient, c'était tout simplement la tyrannie la plus meurtrière des classes laborieuses, le monopole le plus insolent qui ait jamais abâtardi l'espèce humaine en masse, pour créer, par ce monopole, le privilége des classes renversées, de l'aristocratie de la main-d'œuvre contre la démocratie des producteurs et des consommateurs;

«—Écoutez-moi bien, leur dis-je, je vais vous faire ma profession de foi d'ignorance. Je ne me crois ni plus ni moins d'intelligence que la généralité des hommes de mon siècle, et, à mon tour, je vous déclare que j'ai appliqué, pendant la moitié de ma vie, toute l'intelligence telle quelle dont Dieu m'a plus ou moins doué à comprendre ce que vos apôtres et vos faux prophètes vous promettent dans ce que vous appelez l'organisation du travail, et que, malgré toute mon application et tous mes efforts, il m'a été impossible d'y rien comprendre. Ce serait donc à moi à vous demander de me déchiffrer cette énigme, et de me révéler ce que vous croyez comprendre. Je vous donne encore une fois la parole. Voyons, essayez; j'écoute, puissé-je ratifier ce que vous aurez éclairci!»

Ils se turent, en commençant à donner quelques signes d'étonnement et de doute sur leurs figures.

«—Eh bien, leur dis-je, je vais vous définir à mon tour le seul socialisme vrai qui vous travaille et qui vous pousse à votre insu ici, pour exiger ce que vous ne savez pas définir, et dont vous croyez que nous avons le secret et la formule.

«Selon moi, le voici.»

XI.

Alors, usant largement de l'attention passionnée qu'ils accordaient à ma personne et à mes paroles, je leur démontrai, avec une énergique sincérité, que personne n'avait le secret de l'organisation du travail, ni d'une organisation de fond en comble, d'une organisation parfaite de la société, dite socialisme, où il n'y aurait plus ni inégalité, ni injustice, ni luxe, ni misère; qu'une telle société ne serait plus la terre, mais le paradis; que tout le monde s'y reposerait dans un repos si parfait et si doux que le mouvement même y cesserait à l'instant, car personne n'aurait le désir de respirer seulement un peu plus d'air que son voisin; que ce ne serait plus la vie, mais la mort; que l'égalité des biens était un rêve tellement absurde dans notre condition humaine que, lors même qu'on viendrait à partager à parts égales le matin, il faudrait recommencer le partage le soir, car les conditions auraient changé dans la journée par la vertu ou le vice, la maladie ou la santé, le nombre des vieillards ou des enfants survenus dans la famille, le talent ou l'ignorance, la diligence ou la paresse de chaque partageur dans la communauté, à moins qu'on n'adoptât l'égalité des salaires pour tous les salariés, laborieux ou paresseux, méritant ou ne méritant pas leur pain; que le repos et la débauche vivraient aux dépens du travail et de la vertu, formule révoltante, quoique évangélique, de M. Louis Blanc, dont la seule énonciation faisait rire leur bon sens; à moins cependant, ajoutai-je encore, que le travail libre ne devînt travail forcé pour toute la société, que des répartiteurs du salaire, le fouet ou le glaive à la main, ne fussent chargés de faire travailler tout le monde, et que la société des blancs ne fut réduite à une horde d'esclaves, chassés chaque matin de leurs cases communes au travail uniforme, par des conducteurs de nègres blancs!

«Quel perfectionnement social!» m'écriai-je au milieu du rire de l'auditoire,» et combien la société de tels socialistes ferait envier aux hommes le sort de la brute ruminante, qui va du moins paître en liberté et en paix l'herbe qu'elle ne mesure qu'à sa faim! Non, ce n'est pas l'organisation forcée du travail que vous pouvez demander.»

«—Non! non! non!» s'écrièrent-ils.

«—Eh bien! il n'y en a pas d'autre; je vous défie tous d'en trouver une autre: donc il n'y a pas d'organisation du travail, de distribution des richesses forcée, autre que la distribution par la liberté, par la concurrence, par l'économie des travailleurs, et par les besoins des consommations libres, des capitalistes, etc.

«Savez-vous, encore une fois, ce que vous voulez? Vous voulez que le capital, qui appartient à tous, et qui n'est que le réservoir du nécessaire et du superflu de tout le monde, soit libre comme le travail, car, s'il n'est pas libre, il se cachera, il ne se montrera plus, il ne consommera plus, et par là même il fera mourir de faim le travailleur, en cessant de se répandre en salaires, et de s'accumuler en économies nouvelles, qui forment à leur tour des capitaux, et qui, en se dépensant, reforment des salaires, de manière que tout le monde jouisse et travaille à la fois pour jouir à son tour.»

«—Oui! oui! c'est cela!» murmura de toutes parts le bon sens de la foule, qui commençait à revenir à l'évidence.

«Mais vous ne voulez pas,» continuai-je, «et vous avez raison de ne pas vouloir qu'il y ait des misères incurables et imméritées, comme la société mal inspirée en est pleine. Vous ne voulez pas que le père et la mère malades, chargés de trop d'enfants en bas âge, et retenus par la maladie dans leur grenier, voient périr sans soins, sans lait, sans pain, sans feu, sans asile, les fruits de leur union abandonnés au hasard. Vous ne voulez pas, etc.»

Je leur énumérai ici les misères innombrables et imméritées auxquelles la famille du prolétaire est sujette par le chômage, le veuvage, la caducité, l'abandon, le dénûment des orphelins, et tous les cas où la providence tutélaire d'une société bien inspirée doit s'étendre par l'œil et par la main d'un gouvernement sérieusement populaire, où elle doit intervenir afin de soulager et de rectifier des misères imméritées par des secours actifs et par la charité sociale.

Ils parurent satisfaits et reconnaissants de cette énumération, de ces bonnes volontés des gouvernants en faveur des misérables, et crièrent de toutes parts: «—Oui! oui! c'est ce que nous voulons!»

«—Eh bien! ajoutai-je en concluant, vous reconnaissez donc qu'il n'y a qu'un seul socialisme pratique: c'est la fraternité volontaire et active de tous envers chacun, c'est une religion de la misère, c'est le cœur obligatoire du pays rédigé en lois d'assistance. Eh bien, c'est ce que l'intelligence de la nation vous donnera quand toutes les classes, tous les capitaux, tous les salaires, tous les droits, tous les devoirs, représentés dans la législation par le suffrage proportionné de tous, auront choisi le suffrage universel à plusieurs degrés pour l'harmonie sociale; mais c'est ce qu'aucun homme sensé et consciencieux ne consentira jamais à vous donner dans ce que vous appelez l'organisation du travail ou socialisme radical, qu'on vous a amenés à vociférer ici sans en comprendre l'exécrable non-sens!»

Tous applaudirent, et tous se déclarèrent éclairés et satisfaits, évacuèrent les escaliers et remplirent la place de Grève de cris de: Vive Lamartine! Ce ne fut pas là un triomphe de trois jours contre la démagogie du drapeau rouge, ce fut le triomphe du sens commun contre une idée fausse.

XII.

Nous nous mîmes en marche à travers une foule innombrable vers la place de la Bastille; deux millions d'hommes de Paris et des villes et villages nous y attendaient, les uns sous les armes, les autres désarmés. Nous venions sceller avec eux, fixer et borner la révolution encore débordante, et leur rendre compte de leur propre vertu. Le sage et courageux Dupont (de l'Eure), notre président, qui m'avait donné en secret, par écrit, sa survivance pendant les tempêtes du premier et du second jour, parla en notre nom à tous. On applaudit ses cheveux blanchis dans la vertu civique.

Le défilé commença; il devait durer plus d'un jour.

XIII.

D'autres devoirs, également urgents, m'appelaient à l'hôtel des Affaires-Étrangères, envahi, depuis le 24 février, par des hommes inconnus et armés, qu'il fallait refouler et convertir en gardes volontaires, pour préserver les archives diplomatiques de l'État.

Je m'enveloppai de mon manteau, et je me glissai inaperçu et inconnu entre deux files de grenadiers avec lesquels je marchai un moment. Puis, obliquant à gauche d'un mouvement insensible, je me lançai dans la mer d'hommes de toutes conditions qui couvrait la place de la Bastille, à l'embouchure de la rue Saint-Antoine. Je parvins à peu près au milieu sans avoir le malheur d'être reconnu, et j'allais entrer dans les rues à droite pour m'évader par les rues vides parallèles aux boulevards, lorsqu'un froissement de la foule fît glisser mon manteau de mes épaules; je me baissais pour le ramasser dans la boue, quand je fus reconnu par un artiste alors très-célèbre, Cellarius, le musicien de la danse, suivi de quelques-uns de ses élèves et de ses amis.

«C'est Lamartine!» s'écria-t-il à demi-voix.

Mais il fut entendu par les spectateurs les plus rapprochés, qui, ne respectant pas mon incognito nécessaire, crièrent à l'instant: Vive Lamartine! et, se pressant en tumulte autour de moi et du groupe formé à l'instant par Cellarius et ses amis pour me protéger contre l'enthousiasme populaire, firent retourner peu à peu de la place encombrée la foule du côté opposé à la grande revue, et la précipitèrent sur mes pas avec une pression et des clameurs d'amour que m'avaient values en ce moment ma résistance toute fraîche aux sommations armées et réitérées que m'avait adressées la démagogie à l'Hôtel-de-Ville.

Je sentis que j'étais étouffé de tendresse et de délire si je ne parvenais pas à me glisser dans quelque rue étroite, dont l'embouchure, resserrée par les maisons et presque invisible, rompît la masse de mes poursuivants et me permît de leur échapper en diminuant forcément leur nombre.

«—Y a-t-il près d'ici une telle rue?» demandai-je à voix basse à Cellarius.

«—Oui, me dit-il, nous y touchons.

«—Eh bien! hâtons-nous, lui dis-je, de nous y jeter, et que quelques-uns de vos amis en disputent un moment l'entrée à la foule: pendant ce temps-là, nous gagnerons plus facilement l'issue la plus voisine de la place Royale, et, une fois arrivés là, protégés par la galerie étroite et longue, j'atteindrai le numéro 6, au fond de la voûte qu'habite Hugo, et j'irai lui demander asile contre cet assaut de l'enthousiasme. La porte, il m'en souvient, est ferrée, épaisse et forte comme la porte d'une citadelle: nous la refermerons sur moi, et le peuple, resté dehors, respectera la maison du grand poëte.»

XIV.

La manœuvre que j'avais indiquée à Cellarius réussit, et nous nous trouvâmes un moment isolés dans la petite rue de secours conduisant à la place Royale; mais bientôt les fenêtres et les portes s'ouvrirent au bruit du tumulte qui s'élevait à mon nom devant et derrière moi, et la foule, quoique rétrécie par l'obstacle, déboucha avec nous sur la place, aux mêmes cris d'amour et de délire répétés de proche en proche par ceux qui avaient débouché des petites rues latérales.

Je craignais que cette émotion, toute de reconnaissance et de bonne intention au début, ne gagnât de rue en rue la ville, n'accumulât une armée entière sur nos pas et ne rallumât dans la multitude l'apparence des séditions que nous nous félicitions d'avoir apaisées.

Les arcades étroites de gauche, sous lesquelles nous nous étions engouffrés, avaient encore diminué et tronçonné la foule; nous y marchions en groupe, à pas précipités, pour atteindre avant elle le numéro 6. Déjà les premiers arrivés, qui me précédaient, y frappaient à grands coups pour que la porte s'ouvrît à ma fuite; mais le concierge, entendant ce tumulte et ces clameurs sans en connaître la cause, et craignant un assaut de la maison de son maître, refusait d'ouvrir:

«—Ouvrez avec confiance, lui criai-je à demi-voix, ne craignez rien, c'est un ami d'Hugo, c'est moi, c'est Lamartine!»

Il entr'ouvrit enfin, juste assez pour me laisser entrer avec deux ou trois personnes, puis referma, aidé de nos épaules contre la pression croissante de la foule à laquelle nous venions d'échapper. Mais le nombre, les cris, les coups contre le bois et le fer des battants descellés des gonds, faisaient craindre un assaut qui ébranlerait les murailles.

«—N'y a-t-il point, dis-je au concierge, un moyen de sortir d'ici par quelque cour de service ouvrant sur une ruelle de derrière, et qui me permettrait d'atteindre inaperçu un quartier solitaire et vide? Quand je serai sorti, vous ouvrirez sans danger au peuple, et le peuple, ne me voyant plus, se retirera paisiblement sans aucune violence de curiosité.

«—Venez,» me dit le concierge.

Et il me conduisit dans une petite cour d'écurie. Un tas de pierres, me servant d'échelle, me permit d'enjamber un mur de clôture, d'où je tombai dans une ruelle aussi silencieuse et aussi déserte qu'un cloître de chartreux pendant que les religieux sont au service.

Je la suivis quelque temps comme un oisif qui se promène, et je priai un obligeant inconnu, qui avait franchi avec moi la muraille, d'aller me chercher un cabriolet à la place la plus voisine où il pourrait en rencontrer un.

XV.

Pendant qu'il accomplissait ma commission, j'entrai dans une boutique de fruitier obscure et presque souterraine; il n'y avait là que deux vieilles femmes parfaitement tranquilles, accoudées sur leur escabeau, autour d'une petite table, et qui mangeaient leur morceau de pain et de fromage, en s'entretenant de la révolution que tout le quartier était allé acclamer sur la place de la Bastille.

«—Voulez-vous me permettre, leur dis-je, de me reposer un moment ici pendant qu'on me cherche une voiture, et de me rafraîchir, en payant, avec un peu de pain, de gruyère et un demi-doigt de vin?

«—Volontiers,» me répondirent-elles sans soupçon.

Et, pendant que je retrempais mes forces à leur table, tout en les écoutant causer comme Périclès écoutait la marchande d'herbes d'Athènes, le cabriolet longtemps cherché se fit enfin entendre.

Je payai mon écot, je remerciai les deux bonnes femmes, et je montai à côté du cocher.

«—Conduisez-moi, lui dis-je, de manière à éviter la rencontre des foules ou des colonnes de garde nationale qui sillonnent les grandes rues de Paris en ce moment. Je suis pressé; vous me déposerez à la hauteur de la rue des Capucines; il faut que je me rende au ministère des affaires étrangères.

«—Oui, mon bourgeois,» me dit-il; et il enfila des rues parallèles aux boulevards et à la rivière, dont j'ignorais même le nom.

Il tenait à la main une baguette de bois, cassée à l'extrémité, et dont il caressait, sans corde ni mèche, la croupe de son cheval harassé.

«—Vous voyez bien ce fouet? me dit-il tout en causant, eh bien! je l'ai cassé, le 23 au soir, en conduisant dans la brume M. Guizot qui s'évadait du ministère des affaires étrangères, où je vous mène maintenant; je ne vous demande pas de me le dire, mais, qui sait? vous êtes peut-être Lamartine, aujourd'hui? Ainsi va le monde: les plus beaux jours ont toujours un lendemain, et les choses roulent comme ma roue, tantôt dans l'ornière, tantôt sur le trottoir. Eh! allez donc,» ajouta-t-il en parlant à son cheval, et en faisant le geste de faire claquer son fouet, qui ne claquait plus.

Voilà comment, poussé par la foule enthousiaste à la porte et dans l'escalier d'un pair de France destitué l'avant-veille par un décret de ma propre main, j'allais en aveugle chercher sous ses auspices un refuge contre l'enthousiasme populaire, et j'y échappais à l'ombre de son nom et de son mur!

N'était-ce pas un aruspice? un symbole? un augure? et ne pouvait-on pas y voir le génie égaré d'une révolution qui allait à son insu en chercher une autre?

Sibi lampada tradunt! Moquez-vous des poëtes, hommes de prose, mais craignez-les: ils ont le mot des destinées, et, sans le savoir, ils le prononcent!

XVI.

Hugo, certes, était bien loin de songer alors à reprendre en sous-œuvre une révolution sociale, pendant que nous étions occupés, au risque de notre popularité, de notre fortune et de notre vie, à en restreindre et à en régulariser une autre.

Il publia, quelques semaines après, une profession de foi conservatrice, où le courage parlait la langue de la raison au peuple. Ses fils travaillaient dans mon cabinet, aux Affaires étrangères; j'étais fier du nom, et, en lisant dans les journaux ce programme de la république de propriété, d'ordre et de vraie liberté signé Hugo, je me félicitais qu'un si puissant esprit s'engageât dans l'armée où je servais moi-même la cause des améliorations populaires possibles, contre les démagogues de la rue, ces rêveurs de sang et de guerre, et contre les utopistes, ces démagogues de l'idée. Une telle éloquence était une grande force que Dieu nous prêtait pour imposer à la multitude.

On sait, ou on ne sait pas comment tout cela, si bon et si consolant sous l'Assemblée constituante, c'est-à-dire sous la France représentée, s'est brouillé sous l'Assemblée législative, représentation des partis qui ne sont plus la France, mais le fantôme de la France de 1793.

Puis le coup d'État, trop appelé par la panique de la France, est venu, puis la confusion des langues, puis les exils, puis les amnisties, puis des pamphlets que nous déplorons, puis des poésies vengeresses, dont nous n'admirons que la verve, diatribes du génie qui stigmatisent des noms propres, que la colère peut écrire d'une main, mais que l'autre main doit raturer: car, en politique, on peut combattre, jamais insulter!

Puis les Misérables, dont nous allons vous parler, critique excessive, radicale et quelquefois injuste d'une société qui porte l'homme à haïr ce qui le sauve, l'ordre social, et à délirer pour ce qui le perd: le rêve antisocial de l'idéal indéfini!

XVII.

Mais tout cela, bien que cela m'eût quelquefois contristé et attristé, n'avait pas effleuré nos cœurs, ni altéré notre amitié; les intentions étaient sauves, le prodigieux talent grandissait au lieu de décroître, et des vers où l'amitié s'immortalise, vers généreux que je retrouve aujourd'hui avec orgueil dans mon cœur, s'élevaient entre Hugo et moi comme une muraille de diamant contre toute division possible de nos cœurs, quels que fussent les dissentiments sociaux ou politiques.

Comment pourrais-je oublier jamais cette ode de 1825, à Lamartine, qui éleva mon nom plus haut cent fois que la réalité, sur le souffle d'un tourbillon d'amitié, vent d'équinoxe du printemps, qui prend une feuille et qui la porte aussi haut qu'un astre?

Ces vers, les voici: qu'on me permette d'ouvrir quelquefois mon écrin, comme un roi fugitif et découronné, et d'y contempler le plus beau joyau de ma couronne quand Hugo m'avait fait roi, maintenant que le sort m'a fait mendiant, mendiant non pour moi, mais pour mes frères!

Ces vers, lisez, encore une fois, les voici; j'oublie, en les transcrivant, celui pour qui ils furent écrits, mais jamais celui qui les écrivit:

ODE À M. A. DE LAMARTINE
PAR M. VICTOR HUGO.

I.

Pourtant je m'étais dit: «Abritons mon navire;
Ne livrons plus ma voile au vent qui la déchire;
Cachons ce luth. Mes chants peut-être auraient vécu!..
Soyons comme un soldat qui revient sans murmure
Suspendre à son chevet un vain reste d'armure,
Et s'endort, vainqueur ou vaincu!»

Je ne demandais plus à la muse que j'aime
Qu'un seul chant pour ma mort, solennel et suprême!
Le poëte avec joie au tombeau doit s'offrir;
S'il ne souriait pas au moment où l'on pleure,
Chacun lui dirait: «Voici l'heure!
Pourquoi ne pas chanter, puisque tu vas mourir?»

C'est que la mort n'est pas ce qu'une foule en pense!
C'est l'instant où notre âme obtient sa récompense,
Où le fils exilé rentre au sein paternel.
Quand nous penchons près d'elle une oreille inquiète,
La voix du trépassé, que nous croyons muette,
A commencé l'hymne éternel.

II.

Plus tôt que je n'ai dû, je reviens dans la lice;
Mais tu le veux, ami! ta muse est ma complice;
Ton bras m'a réveillé; c'est toi qui m'as dit: «Va!
Dans la mêlée encor jetons ensemble un gage.
De plus en plus elle s'engage.
Marchons, et confessons le nom de Jéhova!»

J'unis donc à tes chants quelques chants téméraires.
Prends ton luth immortel: nous combattrons en frères,
Pour les mêmes autels et les mêmes foyers.
Montés au même char, comme un couple homérique,
Nous tiendrons, pour lutter dans l'arène lyrique,

Toi la lance, moi les coursiers.

Puis, pour faire une part à la faiblesse humaine,
Je ne sais quelle pente au combat me ramène.
J'ai besoin de revoir ce que j'ai combattu,
De jeter sur l'impie un dernier anathème,
De te dire, à toi, que je t'aime,
Et de chanter encore un hymne à la vertu!

III.

Ah! nous ne sommes plus au temps où le poëte
Parlait au ciel en prêtre, à la terre en prophète!
Que Moïse, Isaïe, apparaisse en nos champs,
Les peuples qu'ils viendront juger, punir, absoudre,
Dans leurs yeux pleins d'éclairs méconnaîtront la foudre
Qui tonne en éclats dans leurs chants.

Vainement ils iront s'écriant dans les villes:
«Plus de rébellions! plus de guerres civiles!
Aux autels du Veau d'or pourquoi danser toujours?
Dagon va s'écrouler; Baal va disparaître.
Le Seigneur a dit à son prêtre:
—Pour faire pénitence, ils n'ont que peu de jours!»

«Rois, peuples, couvrez-vous d'un sac souillé de cendre:
Bientôt sur la nuée un juge doit descendre.
Vous dormez! que vos yeux daignent enfin s'ouvrir.
Tyr appartient aux flots, Gomorrhe à l'incendie:
Secouez le sommeil de votre âme engourdie,
Et réveillez-vous pour mourir!

«Ah! malheur au puissant qui s'enivre en des fêtes,
Riant de l'opprimé qui pleure, et des prophètes!
Ainsi que Balthazar ignorant ses malheurs,
Il ne voit pas, aux murs de la salle bruyante,
Les mots qu'une main flamboyante
Trace en lettres de feu parmi les nœuds de fleurs!

«Il sera rejeté comme ce noir génie

Effrayant par sa gloire et par son agonie,
Qui tomba jeune encor, dont ce siècle est rempli.
Pourtant Napoléon du monde était le faîte,
Ses pieds éperonnés des rois pliaient la tête,
Et leur tête gardait le pli.

«Malheur donc!—Malheur même au mendiant qui frappe,
Hypocrite et jaloux, aux portes du satrape!
À l'esclave en ses fers! au maître en son château!
À qui, voyant marcher l'innocent aux supplices
Entre deux meurtriers complices,
N'étend point sous ses pas son plus riche manteau!

«Malheur à qui dira: «Ma mère est adultère!»
À qui voile un cœur vil sous un langage austère!
À qui change en blasphème un serment effacé!
Au flatteur médisant, reptile à deux visages!
À qui s'annoncera sage entre tous les sages!
Oui, malheur à cet insensé!

«Peuples, vous ignorez le Dieu qui vous fit naître;
Et pourtant vos regards le peuvent reconnaître
Dans vos biens, dans vos maux, à toute heure, en tout lieu!
Un Dieu compte vos jours, un Dieu règne en vos fêtes;
Lorsqu'un chef vous mène aux conquêtes,
Le bras qui vous entraîne est poussé par un Dieu!

«À sa voix, en vos temps de folie et de crime,
Les révolutions ont ouvert leur abîme.
Les justes ont versé tout leur sang précieux;
Et les peuples, troupeau qui dormait sous le glaive,
Ont vu, comme Jacob, dans un étrange rêve,
Des anges remonter aux cieux.

«Frémissez donc! Bientôt, annonçant sa venue,
Le clairon de l'archange entr'ouvrira la nue.
Jour d'éternels tourments! jour d'éternel bonheur!
Resplendissant d'éclairs, de rayons, d'auréoles,
Dieu vous montrera vos idoles,
Et vous demandera: «Qui donc est le Seigneur?»

«La trompette, sept fois sonnant dans les nuées,
Poussera jusqu'à lui, pâles, exténuées,
Les races à grands flots se heurtant dans la nuit;
Jésus appellera sa mère virginale;
Et la porte céleste, et la porte infernale,
S'ouvriront ensemble avec bruit!

«Dieu vous dénombrera d'une voix solennelle.
Les rois se courberont sous le vent de son aile;
Chacun lui portera son espoir, ses remords.
Sous les mers, sur les monts, au fond des catacombes,
À travers le marbre des tombes,
Son souffle remuera la poussière des morts!

«Ô siècle, arrache-toi de tes pensers frivoles!
L'air va bientôt manquer dans l'espace où tu voles.
Mortels! gloire, plaisirs, biens, tout est vanité!
À quoi pensez-vous donc, vous qui dans vos demeures
Voulez voir en riant entrer toutes les heures!...
L'Éternité! l'Éternité!»

IV.

Nos sages répondront: «Que nous veulent ces hommes?
Ils ne sont pas du monde et du temps dont nous sommes.
Ces poëtes sont-ils nés au sacré vallon?
Où donc est leur Olympe? où donc est leur Parnasse?
Quel est leur Dieu qui nous menace?
A-t-il le char de Mars? a-t-il l'arc d'Apollon?

«S'ils veulent emboucher le clairon de Pindare,
N'ont-ils pas Hiéron, la fille de Tyndare,
Castor, Pollux, l'Élide et les jeux des vieux temps,
L'arène où l'encens roule en longs flots de fumée,
La roue aux rayons d'or de clous d'airain semée,
Et les quadriges éclatants?

«Pourquoi nous effrayer de clartés symboliques?
Nous aimons qu'on nous charme en des chants bucoliques:

Qu'on y fasse lutter Ménalque et Palémon.
Pour dire l'avenir à notre âme débile,
On a l'écumante sibylle,
Que bat à coups pressés l'aile d'un noir démon.

«Pourquoi dans nos plaisirs nous suivre comme une ombre?
Pourquoi nous dévoiler dans sa nudité sombre
L'affreux sépulcre, ouvert devant nos pas tremblants?
Anacréon, chargé du poids des ans moroses,
Pour songer à la mort se comparait aux roses
Qui mouraient sur ses cheveux blancs.

«Virgile n'a jamais laissé fuir de sa lyre
Des vers qu'à Lycoris son Gallus ne pût lire.
Toujours l'hymne d'Horace au sein des ris est né;
Jamais il n'a versé de larmes immortelles:
La poussière des cascatelles
Seule a mouillé son luth de myrtes couronné!»

V.

Voilà de quels dédains leurs âmes satisfaites
Accueilleraient, ami, Dieu même et ses prophètes!
Et puis tu les verrais, vainement irrité,
Continuer, joyeux, quelque festin folâtre,
Ou, pour dormir aux sons d'une lyre idolâtre,
Se tourner de l'autre côté.

Mais qu'importe? Accomplis ta mission sacrée.
Chante, juge, bénis; ta bouche est inspirée!
Le Seigneur en passant t'a touché de sa main;
Et, pareil au rocher qu'avait frappé Moïse
Pour la foule au désert assise,
La poésie en flots s'échappe de ton sein.

Moi, fussé-je vaincu, j'aimerai ta victoire.
Tu le sais, pour mon cœur, ami de toute gloire,
Les triomphes d'autrui ne sont pas un affront.
Poëte, j'eus toujours un chant pour les poëtes;
Et jamais le laurier qui pare d'autres têtes

Ne jeta d'ombre sur mon front!

Souris même à l'envie amère et discordante;
Elle outrageait Homère, elle attaquait le Dante:
Sous l'arche triomphale elle insulte au guerrier.
Il faut bien que ton nom dans ses cris retentisse:
Le temps amène la justice:
Laisse tomber l'orage et grandir ton laurier!

VI.

Telle est la majesté de tes concerts suprêmes,
Que tu sembles savoir comment les anges mêmes
Sur les harpes du ciel laissent errer leurs doigts:
On dirait que Dieu même, inspirant ton audace,
Parfois dans le désert t'apparaît face à face,
Et qu'il te parle avec la voix!

XVIII.

On est homme public, mais on est homme avant tout. Comment répudier jamais de pareils souvenirs? Ces souvenirs m'imposaient un devoir quand Hugo m'envoya ses Misérables. Je me sentis, en les lisant, tout à la fois ébloui et alarmé. Je sentis que la société, qui est mon idole, recevait là un coup très-rude, pas mortel, car elle est de Dieu, et rien de divin ne peut périr de main d'homme; mais une de ces contusions sourdes, une de ces blessures profondes sur lesquelles il faut verser beaucoup d'huile et de baume pour en éteindre le feu, et en assainir la malignité.

Je me sentis pressé d'écrire ce que je pensais de cette critique éloquente, passionnée, radicale, prolétaire, de la société. Mais l'idée d'écrire sur l'œuvre d'un homme proscrit par lui-même sans doute, mais enfin proscrit par les circonstances, comme ferait à peine un ennemi, cette idée, sans convenance et sans mémoire, ne me vint même pas; il y a des tentations qui ne surgissent que dans des âmes infimes, dignes d'être tentées par ce qui est abject comme elles.

J'écrivis à Hugo pour lui dire «que je l'avais lu, que j'étais tour à tour ravi du talent, blessé du système; que la critique radicale de la société, chose sacrée parce qu'elle est nécessaire, chose imparfaite parce qu'elle est humaine, m'était antipathique; que, si j'écrivais sur son livre, je respecterais avant tout l'homme, l'amitié, le suprême talent, le génie, cette épopée du talent; mais qu'en confessant mon admiration pour le talent, il me serait impossible de ne pas combattre à armes cordiales le système; et qu'en combattant le système, je froisserais peut-être involontairement l'homme et l'œuvre; que par conséquent j'attendrais sa réponse avant d'écrire une ligne de l'admiration et de la réprobation qui bouillonnaient en moi; et que, s'il craignait que la condamnation des idées du livre ne blessât le moins du monde en lui l'homme et l'ami, je n'écrirais rien, car, même pour défendre la société, il ne faut jamais, comme un vil séide, enfoncer même une épingle au cœur d'un ami, et qu'il me répondît donc, s'il le jugeait à propos; que, s'il ne me répondait pas, j'interpréterais son silence, et je n'écrirais rien.»

Il me répondit deux ou trois fois, en me remerciant et en m'octroyant, comme un homme fort, pleine licence d'écrire ma pensée contre sa pensée.

«Si le radical c'est l'idéal, oui, je suis radical, disait-il dans les justifications éloquentes de ses intentions d'écrivain; oui, à tous les points de vue, je comprends, je veux et j'appelle le mieux; le mieux, quoique dénoncé par un proverbe, n'est pas l'ennemi du bien, car cela reviendrait à dire: Le mieux est l'ami du mal....

«Oui, une société qui admet la misère... oui, une humanité qui admet la guerre, me semblent une société, une humanité inférieures, et c'est vers la société d'en haut, vers l'humanité d'en haut que je tends, société sans rois, humanité sans frontières...

«Je veux universaliser la propriété, ce qui est le contraire de l'abolir, en supprimant le parasitisme, c'est-à-dire arriver à ce but: tout homme propriétaire et aucun homme maître. Voilà pour moi la véritable économie sociale, et, parce que le but est éloigné, est-ce une raison pour n'y pas marcher?...

«Oui, autant qu'il est permis à l'homme de vouloir, je veux détruire la fatalité humaine; je condamne l'esclavage, je chasse la misère, j'enseigne l'ignorance, je traite la maladie, j'éclaire la nuit, je hais la haine... Voilà ce que je suis, et voilà pourquoi j'ai écrit les Misérables.

«Dans ma pensée, les Misérables ne sont autre chose qu'un livre ayant la fraternité pour base, et le progrès pour cime.

«Maintenant, prenez ce livre et pesez-le. Les conversations littéraires entre lettrés sont ridicules; mais le débat politique et social entre pairs, c'est-à-dire entre philosophes, est grave et fécond.

«Vous voulez évidemment, en grande partie du moins, ce que je veux. Seulement, peut-être souhaitez-vous la pente encore plus adoucie; quant à moi, les violences et les représailles sévèrement écartées, j'avoue que, voyant tant de souffrances, j'opterais pour le plus court chemin!

«Cher Lamartine,

«Il y a longtemps, en 1820, mon premier bégayement de poëte adolescent fut un cri d'enthousiasme devant votre éblouissant soleil se levant sur le monde. Cette page est dans mes œuvres et je l'aime; elle est là avec beaucoup d'autres qui vous glorifient. Aujourd'hui, vous pensez que l'heure est venue de parler de moi, j'en suis fier; nous nous aimons depuis quarante ans et nous ne sommes pas morts. Vous ne voudrez gâter ni ce passé ni cet avenir, j'en suis sûr; faites donc de mon livre ce que vous voudrez: il ne peut sortir de vos mains que de la lumière!

«Votre vieil ami,

«Victor Hugo.»

Cette belle lettre, aussi cordiale que confiante en soi-même et dans mon amitié, étant reçue, j'écrivis, sans crainte de blesser l'homme en combattant le système, ce qui suit, mais sans crainte aussi de démontrer ce que je crois la vérité sociale suprême à tous les hommes et même à tous les génies. Je pris la forme qui me parut la plus naturelle et la plus instructive, celle du dialogue entre un vrai misérable de ma connaissance et moi. Je dis un vrai misérable, parce que le titre du livre de Victor Hugo est faux, que ses personnages ne sont pas les misérables, mais les coupables et les paresseux, car presque personne n'y est innocent, et personne n'y travaille, dans cette société de voleurs, de débauchés, de fainéants, de filles de joie et de vagabonds; c'est le poëme des vices trop punis peut-être, et des châtiments les mieux mérités.

C'est là ce qui a frappé au premier coup d'œil tous les lecteurs.

Jean Valjean est un voleur bien intentionné d'abord, puis un récidiviste bien conditionné, et bien près d'être un assassin, quand il répond à l'hospitalité confiante de l'évêque, son hôte, son sauveur et son bienfaiteur, par le vol domestique et par la forte tentation de l'égorger pendant son sommeil, et quand il met le pied sur la pièce de quarante sous du pauvre enfant son guide, en fermant le poing pour l'assommer.

Les Thénardier sont des vampires humains suçant le sang des morts et des blessés sur le champ de bataille, volant un enfant à la pauvre mère Fantine, volant leurs propres hôtes, volant ou cherchant à voler les trésors qu'ils n'ont pas enterrés, cherchant à voler Marius par le chantage de la dénonciation, et s'en allant avec le prix de leurs crimes voler en Amérique, parce que le terrain du vol leur manque en Europe.

Les étudiants volent l'honneur des grisettes; les grisettes, le temps et l'argent des étudiants, et les économies de leurs mères.

Les mêmes étudiants, ivrognes précoces ou libertins blasés, devenus émeutiers par désœuvrement, puis républicains par fantaisie, volent la vie et le sang de leurs concitoyens dans une barricade servie par des gamins de Paris et par des filles des rues, et se font tuer eux-mêmes avec autant d'héroïsme que d'indifférence. Vertueux meurtriers, vertueux suicides autour d'une table de cabaret! Si l'on demandait à l'innocent Marius lui-même: «Pourquoi êtes-vous là?» il serait bien embarrassé de répondre, «Par ennui,» répondrait-il peut-être, mais à coup sûr pas par opinion.

Dans tout cela, je vois bien l'écume ou la lie d'une société qui fermente, mais de vrais misérables sans cause, je n'en vois point, excepté les pauvres filles et les petits enfants de Thénardier couchés, par la charité d'un jeune bandit des rues, dans la voûte de l'éléphant de la Bastille.

XIX.

Ce livre d'accusation contre la société s'intitulerait plus justement l'Épopée de la canaille; or la société n'est pas faite pour la canaille, mais contre elle. Prendre les ordres de Valjean contre le vol, de Thénardier contre le maraudage, des étudiants contre la débauche, des gamins héroïques de Paris et des jeunes émeutiers de la barricade sur l'organisation savante du travail et de la société parfaite, contre le luxe des riches et contre la misère du chômage du peuple, est une homéopathie par le vice, l'ignorance et le sang, qui nous laisse quelque doute sur la guérison du corps social. Or, de bonne foi, nous ne voyons guère d'autre conclusion à tirer de ce beau livre des songes où tout est coupable, excepté le coupable lui-même, et où la société est responsable de tout le mal qu'on fait ou qu'on subit contre ses prescriptions ou contre ses institutions.

Voici l'histoire de mon misérable à moi. Il existe encore, et on la lira bientôt.

XX.

Un jeune paysan est élevé, dans un hameau isolé des hautes montagnes, par un père vertueux et par une tante pieuse, avec une cousine du même âge, fille de sa tante. Les deux enfants grandissent en s'aimant, sans savoir ce que c'est que l'amour. La fille garde le troupeau, aidée du chien de la maison. Elle est d'une beauté virginale qui excite l'admiration de la contrée. Le garde des forêts la voit et il en est épris; il la demande en mariage. On la lui refuse; il fait susciter, par un avoué complaisant de la ville voisine, un mauvais procès de dépossession aux pauvres gens, possesseurs de la chaumière, de quelques champs limitrophes et de quelques châtaigniers dont ils vivent. La maison presque seule leur reste; ils y souffrent les extrémités de la misère.

Un jour, la jeune fille laisse par inadvertance ses chèvres et ses chevreaux s'échapper pour aller marauder un brin d'herbe dans la partie du domaine qu'ils avaient l'habitude de paître. La bergère s'en aperçoit trop tard, lance le chien après les chevreaux pour les ramener dans ses limites; les gardes, aux ordres de leur chef, se découvrent, tirent sur le troupeau, tuent les chevreaux, cassent une jambe au petit chien, atteignent de grains de plomb égarés les vêtements et le cou de la jeune fille. Elle se sauve et se réfugie tout en sang dans la maison.

Le jeune homme, qui travaillait tout près de là, croit qu'on assassine sa cousine; il saisit une carabine au râtelier de la cheminée, court au bruit, voit les meurtriers, fait feu et tue involontairement le chef des gardes entouré de sa bande. On s'empare de lui, on le traîne à la ville comme meurtrier d'un fonctionnaire public dans l'exercice de ses fonctions. On le juge, on le condamne à mort; il marche au supplice des assassins, etc., etc.

Qu'on se peigne ces quatre misères: l'amante dont on va faire mourir le sauveur dans l'ignominie; la tante qui va perdre sa fille unique; le père qui va voir tuer son fils et son gagne-pain par la mort du coupable involontaire; le fils, enfin, couché sur la paille de son cachot, qui pense à sa cousine expirant de douleur, à sa tante, à son père expirant de misère, de faim et de honte dans leur masure réprouvée des honnêtes gens, à sa propre mort, à lui, et à sa propre mémoire entachée d'un meurtre innocent.

Un hasard l'arrache au bourreau; sa peine est commuée en un bagne éternel.

Voilà le misérable!

Voilà l'injustice de la société; voilà une de ces mille et mille péripéties inhérentes à la vie humaine, où les membres vertueux, laborieux, pieux de la famille, sont en même temps les plus vertueux et les plus torturés de la société innocente. Aussi là tout le monde est malheureux, et personne n'est coupable; la société elle-même n'est qu'aveugle, et le juge, en rendant un arrêt consciencieux, ne fait qu'un acte de justice et de protection envers elle. Voilà une épopée digne du génie de Victor Hugo. Valjean n'est qu'une erreur du poëte.

Premièrement, le poëte calomnie involontairement la justice humaine de nos jours, en supposant qu'un jury, qu'on n'accuse pas, à coup sûr, d'excès de sévérité, condamne aux galères pour un morceau de pain, emprunté plutôt que volé, pour deux enfants qui n'ont plus de lait dans la mamelle de leur mère!

Secondement, ce même Valjean devient parfaitement digne des galères par le vol, dépourvu de toutes circonstances atténuantes, de l'argenterie de l'évêque, et parfaitement caractérisé d'une vraie perversité aggravante, par l'hésitation entre assassiner ou épargner son sauveur, et parfaitement surchargé d'une criminalité odieuse par le vol de la pièce de quarante sous, à main armée, du pauvre enfant sans force et sans armes!

Le souvenir de toutes ces férocités de caractère poursuit le lecteur à travers le livre; malgré tous les actes de vertu gratuits et toutes les philanthropies transcendantes de ce galérien philanthrope, on ne voit pas comment tant de raison est survenue dans cet ignorant, tant de délicatesse dans cette brute, tant de notions raffinées de perfection dans ce forçat qui commence par le larcin, qui marche vers le vol, qui se laisse tenter par l'assassinat, et qui finit par accuser tout le monde!

Cela nuit terriblement et radicalement à l'intérêt pour cet honnête raisonneur, mais auquel, si ce n'était pas le prodigieux talent de son biographe, personne de sensé ne serait tenté de s'intéresser, que comme on s'intéresse à un monstre d'inconséquence!—C'est un chef-d'œuvre, oui; mais c'est un chef-d'œuvre d'impossibilité!

Lamartine.

CONSIDÉRATIONS SUR UN CHEF—D'ŒUVRE,
OU
LE DANGER DU GÉNIE.
LES MISÉRABLES, PAR VICTOR HUGO.

DEUXIÈME PARTIE.

I.

Pour bien élucider mon sujet, et pour faire constater le livre par ses pairs, comme on dit quelquefois, je résolus d'opposer forçat à forçat; je prêtai mon exemplaire à un forçat condamné à mort, et, quand il l'eut bien lu, bien ruminé, bien absorbé dans le solitaire confinement où il est encore, j'allai le trouver un jour de loisir, et je lui demandai de m'analyser en liberté ce qu'il avait éprouvé en lisant les Misérables. Mais, comme ces hommes simples sont aussi les plus impressionnables et les plus séductibles de tous les hommes, et en même temps les plus incapables d'analyser en masse un ouvrage de dix volumes, accumulés d'une main de géant pour mêler le vrai et le faux, le raisonnement et le sentiment dans un mouvement d'art inextricable, je lui proposai d'en causer à loisir, et de me permettre de l'interroger en notant ses réponses. Il se sentit soulagé de la confusion de ses idées et de l'incertitude de ses jugements par ce mode de dialogue; et, bien qu'il soit resté sensible, et qu'il soit devenu homme d'esprit par la longueur de ses détentions, et par ses pensées retournées en dedans à force de rêveries, il fut heureux de n'avoir pas à faire lui-même le triage formidable de sensations et de raisonnements dont il avait eu peur à ma première proposition, et il me dit: «Parlez, Monsieur; je ne saurais pas parler, mais je saurai peut-être répondre.»

«—Eh bien! parlons,» lui dis-je, et un dialogue de huit matinées commença entre nous. Le voici, à peu de chose près, littéral:

MOI.

Eh bien! mon cher Baptistin, vous avez donc lu les Misérables? Quelle impression ce livre vous a-t-il faite?

LE FORÇAT.

Ma foi! Monsieur, la tête m'en a tourné. J'ai été comme ébloui; j'ai cru sentir la voûte du ciel s'écrouler sur moi, le plancher manquer sous mes pieds, le soleil et la nuit se confondre et entrer pêle-mêle, comme sous un coup de marteau, dans ma tête; je n'ai pas eu le temps de respirer, j'étais essoufflé, ou plutôt il m'a semblé que j'étais poussé par une main puissante à travers des espaces incommensurables, tantôt répugnants, tantôt délicieux, tantôt par force, tantôt par plaisir; ici affreuse stérilité, là fécondité prodigieuse, hurlements affreux d'un côté, musique caressante de l'autre; allant où je ne voulais pas aller, m'arrêtant où je ne voulais pas m'arrêter, mais allant toujours, comme si la poigne du Juif errant m'eût déraciné de terre pour me contraindre à le suivre jusqu'en enfer; en un mot, Monsieur, ce livre m'a souvent révolté, toujours entraîné, et je suis arrivé au bout en maudissant la route; mais, comme la roue précipitée sur une pente d'abîmes où il lui est impossible de s'arrêter, j'étais moulu quand j'ai été au fond.

MOI.

C'est là l'effet du talent de l'écrivain, mon ami. On se livre à lui malgré soi; il s'empare de vous; on ne croit que la moitié de ce qu'il dit, l'autre moitié vous fait peur ou horreur; on voudrait raisonner contre lui, on n'en a pas le temps, on va, on va, on va; c'est ce qu'on appelle la verve, la couleur, le feu du génie, le délire de la langue, la folie du mouvement. On se dit: «Allons toujours, je réfléchirai après.» Les peuples à grande imagination sont tous habitués à cet effet du grand style sur leur esprit.

C'est ainsi que les Grecs furent enivrés jadis par les rêveries d'un sublime rêveur appelé Platon, qui, dans un livre appelé sa République, leur écrivit des absurdités contre nature qu'un enfant réfuterait, mais qui font les délices du monde depuis plus de deux mille ans.

C'est ainsi qu'en Angleterre Thomas Morus écrivit un autre livre appelé Utopie, où l'homme était reconstruit, non pas sur la nature humaine, mais sur la fantasmagorie d'un être idéal.

C'est ainsi que Fénelon écrivit dans Télémaque son utopie de la législation de Salente, pour s'être trop grisé de platonisme et aussi de christianisme radical.

C'est ainsi que J.-J. Rousseau, presque de nos jours, écrivit de verve trois livres d'un style entraînant qui vous empêche de réfléchir: un livre chimérique sur l'éducation, appelé Émile; un livre immoral et raisonneur sur l'amour, appelé Héloïse; enfin un livre de fanatique, sur la législation des empires, appelé le Contrat social, livre où toutes les lois sont faites à l'inverse de l'homme, un livre qui exalte la liberté et finit par la plus atroce des tyrannies.

C'est ainsi qu'un autre homme du même talent, de la même honnêteté délicate que ces quatre ou cinq prophètes des peuples, a vu les misères de son siècle et de tous les siècles, a été touché du généreux désir de les pallier, a pris la plume et a écrit les Misérables, livre plus puissant et aussi inconséquent que les livres de ses devanciers sur la route des songes; livre populaire, qui fera beaucoup de mal au peuple, en le dégoûtant d'être peuple, c'est-à-dire homme et non pas Dieu!

Mais enfin, poursuivis-je, que pensez-vous de son héros, Jean Valjean, le forçat philanthrope?

LE FORÇAT.

À présent que je suis de sang-froid, Monsieur, me répondit Baptistin, le forçat de l'amour, que sa cousine attendait à la geôle de sa maison de détention pour le récompenser de tant de malheur souffert pour elle, et qui achevait entre l'espérance et l'amour ses dernières semaines de captivité; à présent que je suis de sang-froid, il me semble que le héros de M. Victor Hugo est bien mal choisi ou bien mal imaginé pour en faire l'objet d'un intérêt si tendre, et le modèle de si patientes vertus à l'œil de ses lecteurs.

MOI.

Et pourquoi le pensez-vous?

LE FORÇAT.

Parce que ce Valjean est au fond un très-vilain homme, un homme si pervers, si incorrigible, que moi, qui ai fréquenté les bagnes, j'en ai vu bien peu d'aussi foncièrement scélérats, d'aussi dénaturés, soit par leur dépravation naturelle, soit par le défaut de bonne éducation dans leur famille, soit par la passion innée et organique du vol et du meurtre, passion qu'on dit héréditaire dans certaines races d'hommes, comme chez le renard, le loup ou le tigre.

C'est peut-être un préjugé, Monsieur, je n'ose pas le décider, mais il n'en est pas moins vrai que, même parmi nous, les plus pauvres, les plus ignorantes des familles du peuple, soit à la ville, soit à la campagne, un instinct, absurde peut-être, mais invincible, nous inspire partout et toujours une répugnance naturelle pour certaines familles entachées de crimes fameux dans quelques-uns de leurs membres, et capables, nous le supposons du moins, de retrouver cette capacité du crime de génération en génération; nous nous en éloignons tant que nous pouvons, nous disons que cette race est mal famée, nous ne leur donnons pas nos filles, nous ne permettons pas à nos garçons de chercher des femmes parmi eux.

Encore une fois, c'est peut-être un tort, mais c'est un tort tellement irréfléchi, tellement naturel, que personne n'y échappe, et que cela ressemble terriblement à une révélation du ciel. Faut-il tout vous dire? je doute fort que M. Victor Hugo, qui a, dit-on, une charmante épouse, des fils de talent, des filles de vertu dans sa famille, voulût accorder leur main aux fils ou aux filles de son héros Jean Valjean, si Jean Valjean, malgré son trésor dont le premier centime était l'argenterie de son évêque ou la pièce de quarante sous du pauvre enfant qui lui avait servi de guide, était de condition égale à la condition d'un honnête homme de génie.

MOI.

Je crois que vous avez raison, mon cher Baptistin, et que l'instinct, cette raison occulte, composée de mille raisons non raisonnées, raisonne mille fois mieux que le préjugé, contre lequel tout le génie de M. Hugo ne gagnera pas un pouce de terrain.

Amenez-lui un frère de Lacenaire, converti en un Jean Valjean philanthrope, et vous verrez s'il lui donnera sa fille, et s'il jouera ses' enfants et le renom si pur de sa famille à ce croix ou pile du réformateur!

LE FORÇAT.

Comment? si j'ai raison, Monsieur? Mais examinez donc, selon moi, la profondeur d'atrocité, et d'atrocité mêlée d'ingratitude et d'injustice, de ce brave homme auquel M. Hugo veut nous intéresser!

Voilà une espèce de brute, comme nous dit l'écrivain dans le commencement de son histoire, qui a une bonne pensée dans sa vie: celle de trouver à tout risque un morceau de pain pour sa belle-sœur et ses sept petits enfants.

Il fallait que la Brie et le village de Faverolles, où il travaillait à quinze sous par jour pour nourrir neuf personnes, fussent bien dépourvus de toute humanité, pour qu'en frappant dans cette extrémité à la première porte venue où il y avait du pain noir ou blanc dans la huche, riche ou pauvre, même mendiant, ne lui prêtât pas un peu de son superflu ou de son nécessaire pour sauver la vie d'un soir à ces pauvres petits affamés.

Jamais la charité en nature ne fut plus prodigue de ses secours que dans les pauvres chaumières exposées tour à tour à ces dénûments; l'aumône est née partout de la misère: aujourd'hui à toi, demain à moi.

J'ai été paysan, Monsieur, et je n'ai jamais vu dans nos montagnes le pain, le maïs, la rave, le lait de la chèvre ou de la vache manquer à l'innocence des enfants ou à la pénurie des vieillards, à quelque porte que Dieu vînt y frapper par la main de ces privilégiés de sa Providence.

Qu'est-ce donc qu'on dit aux pauvres quand on leur dit: Frappez et on vous ouvrira? N'y a-t-il pas une Providence derrière la porte?

MOI.

C'est vrai, mon ami! J'habite depuis soixante-dix ans les plus pauvres montagnes de France. J'ai vu des années où le blé était rare et cher, et où les châtaignes mêmes manquaient; mais je dois déclarer en toute vérité que je n'ai jamais vu une famille indigente souffrir de froid et de faim pendant qu'il y avait une étable pour la réchauffer chez le voisin, des galettes sur la nappe écrue de la table, du lait dans l'écuelle des autres enfants!

Pour les villes et pour les palais des riches, je ne dis pas non: ils sont trop haut pour sentir ces misères, ils n'y croient pas. Ils n'ont pas les moyens de savoir si c'est le vagabondage qui veut les exploiter, ils craignent d'être trompés; ils font l'aumône autrement, à grandes proportions, souvent par des mains indirectes. On peut mourir de faim à la porte des palais, jamais à la porte des chaumières.

Or le village de Faverolles n'était qu'un groupe de pauvres gens; Valjean n'avait qu'à arrêter dans le sentier un camarade, un voisin, un homme aussi pauvre que lui, et lui dire: «On risque de mourir de faim cette nuit chez la veuve aux sept enfants,» et le pain serait venu avec les larmes: voilà le peuple!

D'ailleurs, en admettant qu'un jury, sauvage appréciateur des circonstances, de l'urgence, de la pitié du misérable, l'eût condamné à cinq ans de travaux forcés pour cette bonne action d'un oncle devenu un moment fou de miséricorde pour sa famille, quand la loi de 1795 ne le condamnait qu'à un an de prison; quand on l'aurait ensuite condamné à mort pour le vol d'une pièce de quarante sous à un enfant qui n'avait de témoin que ses larmes; quand toutes ces pénalités romanesques seraient aussi vraies qu'elles sont heureusement fausses, y avait-il là quelque chose qui fût de nature à changer en bête féroce un pauvre homme injustement condamné, et à en faire un assassin d'occasion du seul homme de Dieu qu'il eût rencontré à son premier pas sur sa route, l'évêque de Digne?

LE FORÇAT.

Oh! certainement non, Monsieur. Voyez donc le brigand! Il se sauve du bagne pour la cinq ou sixième fois, au risque de tuer et en tuant peut-être ces malheureux soldats, gendarmes, gardes-chiourmes, très-innocents à son égard, et chargés par la société de lui répondre des hommes criminels ou dangereux qu'ils surveillent innocemment par devoir.

Sa mauvaise mine et son air de loup parqué lui font fermer toutes les portes: c'est naturel; à qui s'en prendrait-il?

C'est le droit et l'instinct de tout le monde de suspecter les hommes suspects et de ne pas se lier avec les vagabonds de mauvaise renommée; c'est triste, mais c'est fatal. C'est la force des choses, on ne peut en accuser que la prudence humaine.

J'ai été bien autrement victime moi-même d'une prévention et d'une erreur des hommes, quand, ayant eu le malheur d'atteindre le chef des gardes de notre forêt en croyant défendre ma cousine, mon oncle et ma tante audacieusement attaqués à coups de fusil, j'ai été jugé digne de mort et miraculeusement sauvé de la guillotine: eh bien! cela m'a inspiré une douleur mortelle, une honte imméritée, une résignation religieuse, mais cela ne m'a donné aucune haine injuste et brutale contre les hommes. J'ai dit: «Ils sont hommes, ils se trompent, ils ne voient pas la vérité; s'ils la voyaient, ils se garderaient bien de m'exécuter.» Voilà tout!

Mais voilà un homme qui a commis une faute plutôt qu'un crime, à bonne intention, et qui devrait être fier de son innocence foncière et des cinq ans de peine infligés à sa bonne action; le voilà qui, après s'être nourri dix-neuf ans de son venin, s'échappe de ses fers et rentre dans le monde de la liberté. Il est recueilli par ce bon saint évêque, qui ne lui fait pas l'aumône du soir seulement, mais l'aumône de son honneur, l'aumône de sa dignité d'homme, qui l'appelle: «mon frère,» qui le fait asseoir à sa table, pour le réhabiliter par cette égalité chrétienne de l'innocence constante avec l'innocence reconquise du repentir justifié, qui lui montre la confiance absolue du juste dans le repentant, qui le croit incapable même d'une mauvaise pensée, qui lui prépare son lit dans son antichambre, qui y laisse l'argenterie, son seul trésor, qui ne ferme pas même le loquet, et qui s'endort sans peur à côté du crime mal assoupi dans ce cœur inconnu!

Eh bien! ce vagabond n'est ni ému, ni réconcilié avec lui-même et avec les hommes, par un tel miracle de bienfaisance et de vertu surhumaines: il se réveille avant l'aube, avec la première pensée de profiter de cette incrédulité au mal de son sauveur, pour lui voler le trésor des pauvres, son argenterie. Ce n'est rien, bien que ce soit aussi vil que contre nature; il ôte ses souliers pour n'être pas entendu, il s'arme d'un levier de fer bien aiguisé qu'il tire de son sac, pouvant servir au triple usage, dit l'auteur, de forcer la porte de l'armoire où l'on a eu l'imprudence héroïque de serrer sous ses yeux l'argenterie, de percer le sein ou d'assommer le crâne de l'évêque. Il vole résolument son hôte; il s'avance à pas de loup vers son lit, bien résolu de tuer le dormeur s'il ouvre les yeux au bruit; il épie le réveil, il médite la mort, il regarde.

«Nul ne peut dire ce qui se passait en lui, pas même lui, dit M. Hugo; pour essayer de s'en rendre compte, il faut rêver ce qu'il y a de plus violent en présence de ce qu'il y a de plus doux... Mais quelle était sa pensée, il eût été impossible de le deviner... La seule chose qui se dégageât clairement de son attitude et de sa physionomie, c'était une étrange indécision: il semblait près de briser ce crâne ou de baiser cette main; sa casquette dans la main gauche, sa massue dans la main droite, ses cheveux hérissés sur sa tête farouche...»

Heureusement l'évêque dormait; le forçat Valjean emporte résolument le panier d'argenterie, et se sauve en escaladant la fenêtre avec un trésor de plus et un crime (mais un crime inutile) de moins.

Et voilà le misérable avec lequel l'auteur veut qu'on sympathise pendant dix longs volumes! Ah! c'est impossible! À force d'éloquence, il est vrai, l'auteur y parvient, quand il parvient à faire oublier cette horrible révélation d'une infernale nature; mais il ne peut y parvenir dans ceux qui se souviennent en lisant de ces antécédents de tigre; il veut vainement faire détester la société en la calomniant, il ne réussit véritablement en ceci qu'à calomnier le crime!

Jean Valjean peut gagner tous les millions qu'il voudra dans ses manufactures, il peut protéger les filles, doter les enfants, etc.; maire de sa bourgade, il peut se relever à la sublimité vertueuse du repentir, se vouer lui-même à l'infamie pour écarter le soupçon de la tête d'un coupable: il ne sera jamais que le scélérat mille fois relaps, debout dans la nuit, sa massue à la main sur la tête de son bienfaiteur, indécis, comme dit l'écrivain, prêt à frapper s'il s'éveille, et finissant par ne pas frapper parce qu'un cadavre l'accuserait plus que l'hôte endormi!

Oh! non, Monsieur, je ne pardonnerai jamais cela à ce Valjean: cela dépasse l'homme, cela dépasse le tigre, car le tigre qui ouvre ses griffes sur l'homme ne sait pas que cet homme lui voulait du bien: il l'étrangle comme ennemi, mais non comme bienfaiteur! Je lis malgré cela, parce que le tableau est admirablement peint, mais je lis avec un remords: c'est de m'intéresser quelquefois à pire qu'un tigre.

Certes, la société avait eu tort de condamner Valjean aux galères: il était innocent du pain volé à Faverolles. Mais peut-on dire que la société fut mal inspirée en enfermant à vie le misérable, dans le sens criminel du mot, oui, le misérable qui, en récompense d'un jour de pardon, d'un dîner d'ami, d'une nuit de confiance, passe une heure ou une minute dans l'honorable indécision de cet assommeur?

MOI.

J'ai senti tout ce que vous sentez, mon cher Baptistin, et c'est là, selon moi, le vice fondamental de cette étrange, morbide, sublime composition. Intéresser au crime quand le crime n'est que passion, c'est le chef-d'œuvre du paradoxe; mais intéresser au crime quand le crime est atroce, comme l'assassinat du Christ par le Samaritain, c'est le crime du talent. Passons.

Et que dites-vous de ce brave évêque?

LE FORÇAT.

Ah! que c'est bien commencer son livre, Monsieur, que de le commencer par ce qu'il y a de plus doux, de plus saint dans l'espèce humaine: la religion! Je vous avoue que cette promenade pas à pas dans l'âme de l'évêque de Provence, quoique un peu longue, m'a fait beaucoup de bien au commencement, et que je ne l'ai pas trouvé aussi niais que l'on dit, parce qu'il est vraiment bon pour nous autres pauvres gens. Il m'a rappelé ce vieux frère quêteur du couvent de la montagne, auquel je dois le miracle de charité qui m'a sauvé et le bonheur de retrouver mon père, ma tante et ma cousine.

Qu'on dise des bons prêtres ce qu'on voudra: ils sont de la famille de ceux qui n'ont plus de famille; ne faut-il pas que les misérables aient quelques parents sur la terre et un bout de patrimoine là-haut?

Quant à la fin du chapitre, à l'endroit où l'évêque se laisse débiter un tas de choses inintelligibles par ce vieux terroriste qui va mourir, et qui déclame encore sur son lit de mort des énigmes au-dessus de ma portée en l'honneur de la guillotine, et qui font apostasier d'admiration le saint évêque, jusqu'au point de tomber à genoux et de demander sa bénédiction à cet entêté d'impénitent: franchement, vous devez comprendre cela, vous, Monsieur, c'est votre affaire; mais, moi, je n'y ai rien compris du tout. Vous me ferez plaisir de me l'expliquer.

MOI.

Cette peinture évangélique de l'âme de l'évêque, âme chrétienne parce qu'elle est populaire, et populaire parce qu'elle est chrétienne, mon ami, est ce qu'on appelle un tableau de genre suspendu dans un vestibule pour prédisposer, par une bonne impression, les yeux, l'esprit, le cœur des lecteurs aux sentiments religieux et doux, qui sont l'édification de ce triste monde. L'auteur a senti que les religions bien entendues sont, comme étant à la fois divines dans leur objet, humaines dans leurs ministres, pleines de controverses, d'incrédulités et de crédulités populaires dans leurs dogmes, mais qu'en masse les religions sont des vases célestes transmis de générations en générations aux peuples, et dans lesquels les philosophes de tous les âges ont versé tour à tour, en les clarifiant, la plus pure morale, les plus saintes règles de vie, les plus admirables pratiques de charité et de fraternité qui aient honoré les siècles; en sorte que, sans disputer sur leur nature révélée par la raison, lumière de Dieu, ou par Dieu lui-même, quand une religion se brise, toute la morale se répand, et le peuple risque de mourir de soif.

Il faut donc que les hommes bien intentionnés, comme l'auteur de ce livre, touchent avec une extrême prudence et un extrême respect à ces vases divins qui contiennent l'âme du peuple, même quand ils aspirent évidemment, comme lui, à verser le plus de raison possible dans les institutions religieuses et dans ces saintes croyances des nations.

Pour cela, il faut leur faire respecter, aimer et admirer ses ministres, comme l'évêque de Digne, en faisant de sa vie un tableau d'abnégation et de sainteté pratique qui ravisse les pauvres, les vieillards, les petits enfants, toute la partie souffrante de l'humanité dont Dieu est le seul héritage. C'est ce que M. Hugo a parfaitement compris, admirablement exécuté dans le portrait de son évêque M. Myriel, et, convenons-en, il l'a fait avec une généreuse intrépidité dans un moment où la littérature, disons le mot, une littérature médiocre, scolastique, sans feu, sans ailes, sans imagination, se retourne niaisement vers l'athéisme, cette bêtise sans fond, et croit avoir inventé quelque chose en inventant le néant!

Oui, toute la biographie quelquefois un peu puérile, un peu niaise même, de l'évêque Myriel, de sa sœur, de sa dame de compagnie, la description de sa pauvreté volontaire, de son dévouement à Dieu et aux pauvres, ces privilégiés de la miséricorde, de son hôpital, de ses meubles, de son jardinet, de sa messe sur l'autel de bois, de ses visites pastorales parmi les pasteurs des Hautes-

Alpes, tout cela a un charme, une vérité un peu exagérée, un peu ostentatoire, un peu déclamée, mais en réalité très-touchante et fidèlement peinte par un peintre de premier ordre.

On croit voir des portraits de famille dans certaines figures du tableau, telles, par exemple, que la transparente sœur madame Baptistine et la vieille madame Magloire, sœur volontaire aussi plutôt que servante de la maison épiscopale; on croit deviner que le poëte, comme le peintre Rubens, mettant partout sa femme ou sa sœur dans ses tableaux, s'est souvenu de son heureuse enfance de la rue du Colombier, et a retracé le profil de sa mère ou la face réjouie de quelque bonne tante auxiliaire de sa mère, dans les figures de ces deux saintes femmes de l'Évangile, domestiques du saint évêque de Digne.

Jusque-là, je suis comme vous, je ne sais qu'admirer. La poésie ne déroge pas du tout en dessinant la sainteté et en coloriant la piété sous trois formes, le frère, la sœur et la servante: trio de candeur et de vertu qui psalmodie, chacun dans sa langue, le même hymne à Dieu dans le peuple!

II.

Ce n'est pas que cette rencontre d'un évêque émigré avec ce féroce conventionnel, presque régicide, ne soit peinte aussi avec l'énergie du pinceau de l'écrivain.

«...Le conventionnel mourant, le buste droit, la voix vibrante, était, dit-il, un de ces grands octogénaires qui font l'élément du physiologiste; la révolution a eu beaucoup de ces hommes proportionnés à l'époque; on sentait, dans ce vieillard, l'homme à l'épreuve; si près de sa fin, il avait conservé tous les gestes de la santé; il y avait dans son œil clair, dans son accent ferme, dans ses robustes mouvements d'épaules, de quoi déconcerter la mort. Azaël, l'ange mahométan du sépulcre, eût rebroussé chemin, et eût cru se tromper de porte.....

«Il semblait mourir parce qu'il le voulait; il y avait de la liberté dans son agonie; les jambes étaient immobiles, les ténèbres le tenaient par là, les pieds étaient morts et froids, la tête vivait de toute la puissance de la vie, et paraissait en pleine lumière. En ce moment il ressemblait à ce roi du conte oriental, chair par en haut, marbre par en bas.

«Une pierre était là, l'évêque s'y assit; l'exorde fut ex abrupto.»

Les poëtes seuls posent ainsi les figures: ce qu'on appelle poésie n'est que la reproduction vivante et colorée de la vérité. Les autres écrivent, les poëtes peignent. La poésie, c'est la vie des choses, on ne sait si son pinceau est pinceau ou torche, tant il jette d'ombre et de lumière sur tous les contours de ce qu'il voit ou de ce qu'il veut faire voir.

Mais ici le poëte cesse tout à coup de voir: son regard se trouble, sa vue s'obscurcit, le soleil de Dieu ne l'éclaire plus. Il veut suppléer à cette clarté qui tombe du ciel, des étoiles, de la conscience du cœur, par je ne sais quel jour faux qu'il emprunte à un système qui n'est pas même le sien, le système de la terreur justifié par le sophisme; la beauté de l'homicide, l'innocence de la férocité, la vertu du crime, la sainteté de la guillotine politique, la légitimité de l'assassinat juridique de sang-froid, tout ce qui fait horreur aux hommes, tout ce qui fait resplendir d'une lueur sanglante, d'une tache de feu, les noms malheureux des hommes qui ont tué en masse ou en détail leurs frères innocents, il le comprend, il le justifie, il l'exalte, il le transfigure, il le divinise.

«—La révolution française est le sacre de l'humanité,» dit le mourant.

L'évêque, atterré, ose murmurer seulement:

«—Et 93?»

Le conventionnel se dresse sur sa chaise avec une solennité presque lugubre, et, autant qu'un mourant peut s'écrier, il s'écrie:

«—Ah! vous y voilà, 93! J'attendais ce mot-là. Un nuage fut formé pendant quinze cents ans; au bout de quinze siècles il a crevé. Vous faites le procès au coup de tonnerre!»

«L'évêque sentit, sans se l'avouer peut-être, que quelque chose en lui était atteint; pourtant il fit bonne contenance. Il répondit:

«—Le juge parle au nom de la justice, le prêtre parle au nom de la pitié, qui n'est autre chose qu'une justice plus élevée; un coup de tonnerre ne doit pas se tromper.

«Et il ajouta, en regardant fièrement le conventionnel:

«—Louis XVII?

«Le conventionnel étendit la main et saisit le bras de l'évêque:

«—Louis XVII! Voyons! sur qui pleurez vous? Est-ce sur l'enfant innocent? Alors soit, je pleure avec vous. Est-ce sur l'enfant royal? Je demande à réfléchir; pour moi, le frère de Cartouche, enfant innocent, pendu par les aisselles jusqu'à ce que mort s'ensuive, en place de Grève, pour le seul crime d'avoir été le frère de Cartouche, n'est pas moins douloureux que le petit-fils de Louis XV, enfant innocent martyrisé dans la tour du Temple, pour le seul crime d'avoir été le petit-fils de Louis XV... Cartouche, Louis XV, pour lequel des deux réclamez-vous?»

«Il y eut un moment de silence. L'évêque regrettait presque d'être venu, et pourtant il se sentait vaguement, fortement ébranlé.

«Le conventionnel reprit:

«—Ah! monsieur l'évêque, vous n'aimez pas les crudités du vrai; Christ les aimait, lui; il prenait une verge et il époussetait le temple. Son fouet, fait d'éclairs, était un rude diseur de vérités. Quand il s'écriait: Laissez venir à moi les petits enfants, il ne distinguait pas entre les petits enfants, il ne se fût pas gêné pour rapprocher le dauphin de Barrabas du dauphin d'Hérode; l'innocence n'a que faire d'être altière, elle est aussi auguste déguenillée que fleurdelisée.

«—C'est vrai, dit l'évêque à voix basse.

«—J'insiste, continua le conventionnel; vous m'avez nommé Louis XVII, entendons-nous. Pleurez-vous sur tous les innocents, sur tous les martyrs, sur tous les enfants, sur ceux d'en bas comme sur ceux d'en haut? j'en suis: mais alors, je vous l'ai dit, il faut remonter plus haut que 93, et c'est avant Louis XVII qu'il faut commencer nos larmes; je pleurerai sur les enfants du roi avec vous, pourvu que vous pleuriez avec moi sur les petits du peuple.

«—Je pleure sur tous, dit l'évêque.

«—Également, insiste le conventionnel; et, si la balance doit pencher, que ce soit du côté du peuple: il y a plus longtemps qu'il souffre!»

«Il y eut encore un silence. Ce fut le conventionnel qui le rompit (car évidemment l'évêque, confondu, ne savait plus que dire); il se souleva sur un coude, présenta son pouce et son index replié un peu vers sa joue, comme on fait machinalement lorsqu'on interroge et qu'on juge (c'était donc maintenant le conventionnel qui, arrogamment, interrogeait et jugeait l'évêque; le pénitent intervertissait les rôles, et jetait à ses pieds le confesseur au nom de ses doctrines glorifiées); il interpella l'évêque avec un regard plein de toutes les énergies de l'agonie. Ce fut presque une explosion.

«—Oui, Monsieur, il y a longtemps que le peuple souffre! Et puis, tenez, ce n'est pas tout cela: que venez-vous me questionner et me parler de Louis XVII? je ne vous connais pas moi!»

Puis, dans une longue digression, railleuse et écrasante pour l'évêque, il lui fait une longue satire, acerbe et méprisante de langage, qui ne s'applique en rien à ce pauvre mendiant volontaire et charitable d'évêque de Digne, qui vit d'humilité et de lait dans une masure, pour se mettre au-dessous de tout le monde, et pour donner la moitié de sa farine aux pauvres de son diocèse.

Par une sublime réticence, l'évêque se laisse accuser des fautes dont il est lavé par sa pureté et par son ascétisme.

«—Qu'est-ce que cela a de commun avec 93? dit-il simplement, et comment cela prouve-t-il que 93 ne fut pas inexorable?»

(Il n'ose pas dire inique et atroce.)

«—Revenons à l'explication que vous me demandez, dit le conventionnel; où en étions-nous? Que me disiez-vous? Que 93 a été inexorable?»

(Remarquez que l'évêque, par charité, ne lui disait rien, ne lui demandait rien, et qu'il s'était contenté de jeter à voix basse un mot d'incrédule pitié, en réponse aux brutalités du terroriste malade.)

«—Oui, dit l'évêque, inexorable; que pensez-vous de Marat battant des mains à la guillotine?

«—Que pensez-vous de Bossuet chantant le Te Deum sur les dragonnades?»

«La réponse était dure, mais allait au but avec la rigidité d'une pointe d'acier; l'évêque en tressaillit; il ne lui vint aucune riposte.

«—Disons encore quelques mots çà et là.

«—Je le veux bien, continua le conventionnel, rendu clément par la conviction de son triomphe de logique, et consentant à épargner un peu l'évêque, par politesse; en dehors de la Révolution, qui est une immense affirmation humaine, 93 est une réplique.

«Vous la trouvez inexorable? Mais toute la monarchie, Monsieur!... Je plains Marie-Antoinette, archiduchesse et reine; mais je plains aussi cette pauvre femme huguenote de 1685 qui, etc.»

Et là-dessus l'histoire, sans doute très-vraie, d'une énormité infernale commise, au nom du roi Louis XIV, par quelque abominable soldatesque, trouvant moyen de raffiner sur les supplices de religion en suppliciant la nature!

Puis, revenant sur l'évêque avec l'orgueilleuse satisfaction d'un mauvais raisonneur qui a réduit son adversaire au silence:

«Monsieur, dit-il à l'évêque éperdu, retenez bien ceci: la Révolution française a eu ses raisons (peu s'en faut qu'il n'ait dit ses mystères); sa colère sera absoute par l'avenir. Son résultat, c'est le monde meilleur; de ses coups les plus terribles il sort une caresse pour le genre humain. J'abrége;... je m'arrête;... j'ai trop beau jeu. D'ailleurs, je me meurs.»

La bonne excuse pour se taire!

«—Oui, continua-t-il cependant encore, tant il était plein de ses raisons, oui, les brutalités du progrès s'appellent révolutions. Quand elles sont finies, on reconnaît ceci: que le genre humain a été rudoyé, mais qu'il a marché.»

Le conventionnel, ajoute l'auteur, ne se doutait pas qu'il venait d'emporter l'un après l'autre tous les retranchements intérieurs de l'évêque; celui-ci réclama cependant, timidement, indirectement, en faveur de Dieu.

Le vieux représentant du peuple voulut bien ne pas répondre cette fois. Il eut un tremblement, il regarda le ciel, et une larme germa lentement dans ce regard.

Quand la paupière fut pleine, la larme coula le long de sa joue livide, et il dit presque en bégayant, bas, et se parlant à lui-même, l'œil perdu dans les profondeurs:

«Ô toi! ô idéal! toi seul tu existes!

«L'infini est; il est là! continua-t-il en levant le doigt vers le ciel. Si l'infini n'avait pas de moi, le moi serait sa borne, il ne serait pas infini, en d'autres termes il ne serait pas; or il est, donc il a un moi; ce moi de l'infini, c'est Dieu!»

Patmos est vaincu; l'Apocalypse de la révolution finit là par l'idéal d'un faible ver de terre, divinisé et adoré. L'infini, c'est-à-dire l'œuvre inépuisable, perpétuelle, à mille aspects, bonne, mauvaise, intelligible et inintelligible du Créateur; l'œuvre de l'univers, dont l'homme ne voit qu'un fil; la bonté, la perversité; le bien, le mal; la nuit, le jour; l'ordre et le chaos, confondus pêle-mêle, avec l'auteur de tout et le seul explicateur de tout, dans une unité sans liens: le panthéisme, enfin, dernier mot de l'absurde, est prononcé! Voilà le Dieu qui fait pleurer de tendresse et d'admiration le conventionnel. On s'attend, sinon à une réclamation modeste, au moins à une réserve de conscience de l'évêque; pas du tout.

«Le conventionnel avait prononcé ces dernières paroles d'une voix haute, et avec le frémissement de l'extase, comme s'il voyait quelqu'un. Quand il eut parlé, ses yeux se fermèrent. L'effort l'avait épuisé: il était évident qu'il venait de vivre, en une minute, les quelques heures qui lui restaient. Ce qu'il venait de dire l'avait rapproché de celui qui est dans la mort (sans doute Dieu); l'instant suprême arrivait.»

L'évêque, ajoute l'écrivain, le comprit; le moment pressait; c'était comme prêtre qu'il était venu; de l'extrême froideur il était passé par degrés à l'émotion extrême, il regarda ces yeux fermés, il prit cette vieille main ridée et glacée, et se pencha vers le moribond.

«Cette heure est celle de Dieu! dit-il; ne trouvez-vous pas qu'il serait regrettable que nous nous fussions rencontrés en vain?»

Le conventionnel rouvrit les yeux: une gravité où il y avait de l'ombre s'imprégnait sur son visage.

«Monsieur l'évêque, lui dit-il avec lenteur (en lui faisant la confession de toutes ses vertus patriotiques et de sa sobriété d'aliment et de vin, en opposition avec sa prodigalité de sang)... maintenant, j'ai quatre-vingt-six ans, je vais mourir; qu'est-ce que vous venez me demander?

«—Votre bénédiction, dit l'évêque, et il s'agenouilla (devant cette sainteté intacte de la révolution).

«Quand l'évêque releva la tête, la face du «conventionnel était devenue auguste. Il venait «d'expirer.»

III.

L'évêque rentra chez lui profondément absorbé dans on ne sait quelles pensées. Il passa toute la nuit en prières. Le lendemain, quelques braves curieux essayèrent de lui parler du conventionnel. Il se borna à montrer le ciel.

Un jour, une douairière, de la variété impertinente qui se croit spirituelle, lui adressa cette saillie:

«Monseigneur, on se demande quand Votre Grandeur mettra le bonnet rouge.

«—Oh! oh! voilà une grosse couleur, répondit l'évêque. Heureusement que ceux qui la méprisent dans un bonnet la vénèrent dans un chapeau.»

Saillie peu décente dans la bouche d'un évêque, assimilant par un jeu de mots le bonnet rouge du terroriste au chapeau du cardinal, d'un évêque, exaltant ce dont Robespierre et d'autres avaient rougi: le terroriste avait fait un digne prosélyte!

IV.

Et maintenant, parlons sérieusement à notre tour; prenons-nous corps à corps sur cette déification du terrorisme, et raisonnons après avoir raconté. Il serait trop douloureux de laisser au peuple des doctrines paradoxales écrites du style de Pascal ou de Bossuet. Heureusement, la vérité n'a pas besoin de style. Sa lumière luit d'elle-même; se montrer, c'est se prouver; ôtons-lui son voile et cachons-nous!

La révolution française est, comme toutes les choses humaines, mêlée de bien et de mal. J'ai essayé comme un autre, dans une de ces rares occasions nées d'elles-mêmes, de la continuer en l'innocentant, en lui ôtant son venin comme à la vipère, en lui arrachant sa dent malfaisante avant de la cacher dans mon sein comme le psylle d'Égypte; j'ai proclamé toutes ses vérités sans lui concéder ni crime ni colère. Je ne suis donc pas suspect d'injustice ou de ressentiment à son égard, encore moins de complicité, quoi qu'en puissent dire les vieilles femmes qui n'ont pas lu l'Histoire des Girondins, où pas un accès de fureur et de terreur n'est raconté sans être flétri; quoi qu'en puisse écrire M. Nettement, leur historiographe, qui, malgré les Girondins, malgré le drapeau rouge repoussé les armes à la main, malgré l'abolition de la guillotine, proposée et arrachée au peuple, pour premier acte de la résipiscence populaire, le 27 février 1848, n'en persiste pas moins à faire de moi un buveur de sang. Risum teneatis!

La belle image de M. Hugo en parlant du terrorisme: un nuage formé par quinze siècles, d'où sort un coup de tonnerre; le coup de tonnerre qui ne doit pas se tromper, est une définition explicative, selon moi, mais nullement justificative, encore moins laudative: car le coup de tonnerre du terrorisme s'est dix mille fois trompé; il a fait de la lueur, mais il a fait des cadavres, des victimes innombrables, pures, innocentes, augustes; il a laissé dans toutes les âmes quelque chose de sinistre, pareil à une horreur chez les uns, à un remords chez les autres; des noms abhorrés chez les bourreaux, des noms consacrés chez les victimes. Les événements innocents ne laissent rien de pareil. Ce remords national, cette horreur irréfléchie quoique générale, tout cela n'est au fond que le jugement non raisonné, mais infaillible, du genre humain, le dégoût instinctif qui se voile la face à l'aspect d'une mare de sang.

Je ne puis comprendre que Victor Hugo, qui prononce de si énergiques protestations contre cette machine à meurtre appelée guillotine, élevée sur nos places publiques contre une seule tête coupable dont la société veut se défaire pour prémunir ses membres innocents; je ne puis comprendre, dis-je, qu'il innocente, qu'il excuse et qu'il exalte cette machine à dix mille coups, montée par la mort et pour la mort, pour faucher, comme une moissonneuse à la vapeur, des milliers d'innocents, de vieillards, de femmes, d'enfants de quinze ans, assez vaincus pour se laisser conduire, en charrettes pleines, à travers les places et les faubourgs de Paris, leur roi en tête, à guillotiner, désarmés et sans résistance! Il pensait, certes, bien autrement quand il écrivait, dans sa verte et pure jeunesse, l'ode sur Louis XVII, ou celle sur les filles de Verdun! C'est de lui que je m'arme aujourd'hui contre lui-même; mais je m'arme pour le désarmer de la mauvaise arme qu'il a ramassée sur ce champ de carnage qu'il a pris pour un champ de bataille.

Un champ de bataille? Non, la Révolution n'a gagné aucune de ses victoires sur la place de la Guillotine, ou sur la place d'Auray dans la Vendée, ou sur la place des Brotteaux dans les mitraillades de Lyon, ou sur les bords de la Loire dans les noyades de Nantes. Elle n'y a gagné que l'horreur qui suit le massacre des prisonniers vaincus dans tous les temps, dans toutes les causes, dans toutes les nations du monde! Barbarie ne fut jamais vertu! Fureur et lâcheté ne seront jamais excuse!

V.

Et de quelles excuses ou plutôt de quelles glorifications le brave évêque se laisse-t-il payer, puis réduire au silence, puis fanatiser d'admiration par le terrorisme agonisant dans ce livre?

Louis XVII, pauvre enfant d'un père tombé du trône, d'un père et d'une mère égorgés en cérémonie par tout un peuple, Louis XVII comparé au frère de Cartouche, innocent, supplicié en place de Grève! Rapprochement de férocité, oui; rapprochement de situation, non. La nature physique assimile les deux victimes, oui; la nature morale, non. De tout temps, l'élévation du rang d'où l'on est précipité fait partie, sinon du supplice de sang, du moins du supplice de l'âme: les Romains, si féroces dans la guerre, ne pensaient pas que tomber dans un trou fut la même chose que tomber de la roche Tarpéienne sur le pavé du Capitole. Voir du même œil le même supplice dans la même chute, c'est une grave erreur: on plaint les deux victimes d'une égale pitié, on ne les plaint pas du même respect. Tomber du trône dans les mains meurtrières du savetier Simon jusqu'à ce que mort s'ensuive, ne fut jamais la même chose que tomber d'un mur de dix pieds sur le pavé de la rue. La nature se refuse à ces parallèles, parce qu'ils sont, non pas, comme ils en ont l'air, les audaces de la vérité, mais les paradoxes du radicalisme. Or le cœur humain est sympathique, mais il n'est jamais radical, parce qu'il pèse d'un juste poids, et non au poids seul de la chair et du sang, les innombrables différences du passé et du présent dont le même malheur se compose, pour le frère de Cartouche ou pour le fils de Louis XVI. Oublier ces différences, ce n'est pas seulement oublier le respect, c'est dénaturer la nature. Si l'auteur eût mieux réfléchi, il n'aurait jamais écrit ces deux noms sur la même ligne. Aussi, tout en gémissant sur le frère innocent et supplicié du fameux filou, quand on lit sous la même larme les deux noms accolés, on ne peut s'empêcher de faire un geste de tête en arrière, et de crier: «Oh!» Ce cri est un jugement.

C'est le cri du scandale. Qui a jamais plaint Charles Ier d'Angleterre, ou Marie Stuart d'Écosse, ou les enfants d'Édouard, ou Louis XVI décapité, ou Marie-Antoinette immolée, ou sa jeune et pure belle-sœur, madame Élisabeth, sacrifiée malgré son innocence; qui est-ce qui les a jamais plaints de la pitié qu'on doit, au même titre charnel, à tous les meurtres commis par tous les meurtriers religieux, royaux ou révolutionnaires de la terre? Sunt lacryma rerum! L'histoire, le trône, la dignité des victimes, ont leur bienséance; les suppliciés ont leur autorité; les tombes ont leurs priviléges sous leurs cendres. Quand on a vidé les caveaux de Saint-Denis, on a fait plus que quand on a vidé un cimetière banal de Saint-Eustache: ici on déplace des ossements, là on profane des mémoires. Comment un écrivain d'un si sympathique caractère que Victor Hugo a-t-il pu l'oublier? Il a beau dire, plus on place haut le drame du supplice sur l'échafaud, plus l'univers est attendri: le respect se joint à la compassion; ce sont deux douleurs!

Mais ceci n'est qu'affaire de prestige, de décence, de convenance entre la pitié publique et l'échafaud matériel; que serait-ce si nous raisonnions le sentiment?

VI.

En quoi l'erreur, du le crime, ou la législation de la France sous Louis XV ou sous ses prédécesseurs, quand la QUESTION était un article stupide du code criminel du pays; en quoi les immanités atroces de l'inquisition; en quoi les crimes des rois, des prêtres, des sectes religieuses; en quoi les souffrances du peuple de ces temps néfastes, ces souffrances aussi éternelles que la misère humaine, légitiment-elles les sévices que les prétendus vengeurs du peuple, en 1793, exercèrent contre d'autres classes de la société? Comment Victor Hugo, qui est et se déclare radical, professe-t-il, comme le philosophe M. de Maistre, cette mystérieuse et absurde solidarité de la victime de 1793 et des scélérats du treizième siècle? En quoi, parce que le peuple souffre depuis qu'il est peuple, le peuple est-il autorisé à se venger sur les innocents tant qu'il sera peuple? Les souffrances iniques qu'il fait subir à ses victimes les plus pures seront donc l'éternelle récrimination des classes l'une contre l'autre? Quelle justice! quelle morale et quel progrès! Le peuple a eu faim, soif, il a souffert des douleurs dans tous les âges, et, pour cela, le peuple sera innocenté, célébré, glorifié, canonisé dans ses bourreaux vengeurs en 1793 ou en 1862! Où finira ce droit de vengeance abstraite, cette justice du talion entre classes? Et, d'ailleurs, le conventionnel y a-t-il réfléchi? Celui qui était peuple dans un siècle n'est-il pas devenu, par la rotation des choses et des races, aristocrate dans un autre siècle? victime dans un temps, oppresseur dans un autre? Qui fera le triage dans cette chambre ardente des droits de vengeance d'une famille humaine contre une autre famille? Où sera le droit de se venger, le droit de la colère, comme dit Victor Hugo, dans une nation qui a toute également ce droit de colère dans toutes ses classes tour à tour? La société terroriste, toujours et partout, ne serait donc qu'une éternelle et réciproque extermination?

Et quel droit donne au peuple de Paris de 1793 de supplicier, en la bafouant sur sa charrette, l'archiduchesse d'Autriche, reine de France, le supplice hideux et lamentable de cette pauvre femme des Cévennes de 1685? Où est la relation volontaire entre cette victime du peuple en 1793 et cette victime des prêtres en 1685? En quoi le sang de l'une lave-t-il le sang de l'autre?

Le conventionnel a recours lui-même à cet épouvantable mystère de la criminalité abstraite pour justifier et légitimer ses doctrines.

«Monsieur, dit-il d'un ton doctoral à l'évêque confondu, retenez bien ceci: la révolution française a eu ses raisons; sa colère sera absoute par l'avenir; de ses coups les plus terribles il sort une caresse pour le genre humain. J'ai trop beau jeu. Je m'arrête. D'ailleurs, je me meurs!

«Le terroriste ne se doutait pas qu'il venait d'emporter successivement l'un après l'autre tous les retranchements de l'évêque» (qui n'avait pas même répliqué).

Il faut convenir que ce pauvre évêque avait peu de présence d'esprit contre les paradoxes du terrorisme, et l'on ne doit pas s'étonner qu'il tombe, comme saint Paul sur le chemin de Damas, atterré et sans paroles, aux genoux de celui qui daigne l'instruire des droits de la colère et de la sublimité des vengeances du peuple, pour adorer le révélateur du mystère de l'échafaud et pour montrer, le lendemain, le ciel comme le seul séjour digne de ce prophète du comité de salut public!

À quels excès d'aveuglement le génie même de la parole peut conduire! La glorification du bourreau par M. de Maistre ne va pas si loin, car le philosophe de Chambéry fait du bourreau l'ultima ratio du droit social dans les mains de la justice humaine, et il fait du supplice un vengeur de Dieu. Le terroriste crée le droit de la colère, la raison mystérieuse, la raison d'État du peuple en révolution dont il faut adorer, respecter, bénir la hache; et l'évêque, en se taisant et en adorant, en montrant du doigt le terroriste dans le troisième ciel, donne à son tour raison à la vengeance.

N'est-ce pas là aduler le peuple dans ses plus mauvais instincts? N'est-ce pas lui préparer pour l'avenir des justifications toutes faites pour d'autres crimes, que de lui dire d'avance: «Ne t'inquiète pas, Dieu est pour toi; tu as tes raisons, tu as le droit de colère; les consciences faibles, les esprits timides, la pitié même, autant que la justice, se soulèveront bêtement contre toi, incapables qu'ils sont de comprendre ta foudroyante divinité, ton coup de tonnerre formé des misères de tous les âges! Mais les plus grands poëtes et les plus éloquents écrivains des siècles qui suivront tes crimes en feront des vertus, et proclameront la sainteté du supplice infligé par toi à tes ennemis!»

Telle est la leçon de démocrate ou d'autocrate, également sanguinaires, contenue en germe dans les paradoxes de M. de Maistre ou de M. Hugo. Ces grands écrivains, certes, ne pensaient pas à la conséquence de ces préceptes lorsque, comme l'évêque du roman, ils se sont donné une entorse de peur d'écraser une fourmi; mais ils faucheront le genre humain en fanatisme ou en révolution avec leurs entorses à la logique!

VII.

Mais, me direz-vous, l'évêque était cependant un bon chrétien, un disciple modèle de Celui qui a dit: «Tu ne frapperas pas, même pour me défendre!»

Bonhomme, oui; bon chrétien, je n'en sais rien. Le fait est que, quand il a entendu le terrible évangile du terroriste qui lui confesse son patriotisme sans scrupule pour toute faute ou plutôt pour toute vertu, il tombe à ses pieds, et ne lui demande ni confession, ni repentir, ni sacrements: sa confession, c'est sa vertu mise au jour; son repentir, c'est l'orgueil avec lequel il s'en va à Dieu, avec son bonnet rouge sur la tête et sa hache en main; son viatique, c'est l'idéal, ce moi de l'infini!

Que voulez-vous dire à un pareil saint? Aussi l'évêque se prosterne devant son impénitence, l'adore, et montre le ciel à son troupeau. Cela peut être très-charitable, trop charitable, même pour les victimes du terroriste, mais cela n'est pas très-miséricordieux en détail. L'évêque est en gros, comme on le voit après son entretien avec le terroriste, très-large sur le sang répandu à flots par droit de colère du peuple. Cela est peu conforme au christianisme, qui est économe en gros comme en détail du sang des hommes, et qui dit: Rendez à César ce qui est de César!

À parler franchement, j'aimerais mieux que l'évêque fût franchement philosophe, accusation dont le défend M. Hugo; car, si la franchise est une vertu nécessaire, c'est envers Dieu et à cause de Dieu envers les hommes, et à cause de soi-même envers soi-même. Or voici comment je raisonne.

Si l'évêque est un brave homme non croyant dans la divinité de son Maître, pourquoi, en conservant ses vertus, n'abandonne-t-il pas l'autel où il adore le Christ comme Dieu, quand il le vénère seulement comme le saint crucifié du monde? En continuant son apostolat d'évêque sur la terre, il retient donc dans son cœur le dernier mot de sa foi; il trompe donc pour le bien son troupeau: mais enfin tromper, même pour le bien, ce n'est pas d'un parfait honnête homme.

Ou l'évêque est chrétien selon la lettre et selon l'esprit, et alors pourquoi écoute-t-il avec complaisance et approbation les doctrines très-peu chrétiennes du terroriste, et pourquoi, après l'avoir entendu se vanter du sang versé pour le peuple, ne lui propose-t-il aucune bénédiction de sa religion, et, au contraire, lui demande-t-il simplement la sienne?

C'est très-humble, mais très-peu catholique. Entre le Christ-Dieu de l'évêque et l'idéal du terroriste, il y a l'infini, il y a le déisme.

VIII.

Nous ne blâmons pas dans le terroriste, dans l'évêque, le déisme qui croit, qui adore et qui pratique; c'est une religion autre, la religion de Cicéron, de Marc-Aurèle, des philosophes avant, pendant et après les religions révélées. Mais, si l'évêque n'est qu'un vertueux déiste, pourquoi ne le dit-il pas, et ne dépouille-t-il pas le vieux prêtre? La réticence est la moitié de la tromperie. Cela n'est pas seulement peu chrétien, cela n'est pas très-probe pour celui qui est chargé d'enseigner à Digne le catéchisme de Montpellier.

Voilà pour la religion de l'évêque. Elle laisse dans l'esprit un certain scrupule qui nuit beaucoup à l'édification.

Enfin, il y a l'économie politique, qui n'est pas son fort. La charité populaire a ses excès, qui sont des erreurs, et qui feraient simplement mourir de faim, dans un grand empire, d'abord dix ou douze millions d'ouvriers prolétaires de l'industrie, dont le travail est le seul patrimoine, et le salaire la seule Providence; ensuite vingt ou trente millions de propriétaires, dont la consommation est la seule richesse, et qui laisseraient toute la terre inculte, si l'aisance, le luxe, le commerce, ne consommaient pas et ne payaient pas leurs produits.

Ces déclamations contre le luxe, c'est-à-dire contre l'usage de l'aisance, sont donc tout simplement des décrets contre la vie du peuple, ouvriers ou propriétaires, c'est le maximum terroriste contre ceux qui commandent le travail et contre ceux qui vivent du salaire. Cela ne soulèverait pas une minute de discussion entre hommes sérieux.

Il faut être juste, Victor Hugo le sent, le dit, et restreint aux prêtres sa condamnation radicale du luxe. Mais, si le prêtre n'a pas aussi un peu de superflu par son traitement, avec quoi fera-t-il la charité que tout le monde lui demande comme magistrat de la vertu? La première vertu, aux yeux du pauvre peuple, n'est-elle pas la charité? S'il est trop pauvre pour donner, le prêtre ne paraîtra pas assez vertueux, et, s'il est trop peu vertueux, il ne sera pas assez populaire.

IX.

L'auteur est plus austère contre l'impôt. Il convient aussi de rectifier, aux yeux du peuple, les idées très-faussement populaires sur l'impôt. On dirait, à entendre ces déclamations souverainement ignorantes sur l'impôt, que l'impôt est la dîme des pauvres au profit des riches: c'est le contraire qui est vrai, l'impôt est la dîme que le riche paye au pauvre pour égaliser, autant que possible, sans dépossession violente, le riche et le pauvre. Examinez bien ce qu'on appelle un budget de l'État; voyez où vont les sommes perçues: presque toutes en salaires de l'État aux ouvriers et aux salariés de toutes espèces, et parmi ces salariés les gros traitements ou les gros salaires sont, aux petits traitements ou aux petits salaires, ce que un est à mille! Ceci devrait éclairer l'économiste indigné de Victor Hugo sur l'impôt des fenêtres, contre lequel il gémit comme nous avons tous gémi en rhétorique.

Je ne veux pas dire qu'il ne fût pas plus sain de faire payer tant par toise du toit, ou tant par pouce carré de l'espace occupé par la maison du riche; mais enfin c'est un impôt du riche payé exclusivement par le propriétaire: en cela c'est un impôt populaire payé au bénéfice du prolétaire, qui ne possède que sa place quand il l'a louée. Si la maison ne payait pas, il faudrait en forcer les portes pour loger les dix millions de prolétaires qui n'en ont pas, pour abriter leur famille, car c'est l'impôt payé par le propriétaire de murailles, de portes et de fenêtres, qui sert à salarier le travail du prolétaire, et qui lui permet de payer son loyer sans faire violence à personne. L'impôt, que vous condamnez par une exclamation irréfléchie, est donc presque en entier en faveur du pauvre. L'impôt est le grand répartiteur du superflu du riche entre les pauvres; l'impôt, comme cela est juste, est supporté, en immense majorité, par celui qui possède pour celui qui n'a pas encore le bonheur de posséder: c'est la pompe sans cesse aspirante et foulante qui soutient tous les ans la richesse publique de l'épargne de chaque propriétaire, qui la condense en nuée dans les coffres de l'État, et qui la distribue ensuite en travail, en salaire, en services publics entre les mille mains et les mille bouches des travailleurs qui en vivent. Blasphémer contre l'impôt superflu des riches qui en gémissent, mais qui le payent, c'est tout simplement blasphémer contre le pauvre qui en vit!

L'économie politique de l'évêque est donc tout bonnement une irréflexion meurtrière du pauvre, qui périrait le jour où le propriétaire en serait déchargé. Ce meurtre, par fausse charité, ne serait pas moins cruel dans ses résultats que le meurtre par égoïsme. L'évêque sent juste, mais raisonne mal; ce sont là des paradoxes qu'il est très-dangereux de donner au peuple, car le peuple vit d'idées justes et non de rhétorique humanitaire. Les idées courtes de J.-J. Rousseau ont contribué à produire les meurtres juridiques de 1793; les idées fausses de l'évêque produiraient la disette, la suppression du travail, l'extinction des salaires, la colère contre les riches et la mort des peuples.

X.

Rectifions-les partout où nous les rencontrons, même sur les lèvres d'un saint; les bonnes intentions n'excusent que les incapables.

L'évêque pousse l'incapacité jusqu'à la disette du peuple en matière d'économie sociale, comme il la pousse jusqu'au crime en matière de démocratie. C'est un pauvre raisonneur à présenter comme modèle au peuple. Il s'exprime en démagogue saisi de la verve du terrorisme, et applaudissant aux fureurs de 1793; il s'exprime en ignorant socialiste, en déclamant charitablement contre l'impôt, en oubliant que l'impôt est le superflu du riche et le trésor du pauvre.

Mais il sent juste, et il s'exprime en style magique, quand il oublie ses sophismes pour méditer la nuit sur l'œuvre infinie du Créateur dans ses contemplations nocturnes devant les étoiles.

Relisez ces pages, aussi vastes et aussi profondes que la voûte du ciel:

XI.

«Comme on l'a vu, la prière, la célébration des offices religieux, l'aumône, la consolation aux affligés, la culture d'un coin de terre, la fraternité, la frugalité, l'hospitalité, le renoncement, la confiance, l'étude, le travail, remplissaient chacune des journées de sa vie. Remplissaient est bien le mot, et certes cette journée de l'évêque était bien pleine jusqu'aux bords de bonnes pensées, de bonnes paroles et de bonnes actions. Cependant elle n'était pas complète si le temps froid ou pluvieux l'empêchait d'aller passer, le soir, quand les deux femmes s'étaient retirées, une heure ou deux dans son jardin avant de s'endormir. Il semblait que ce fut une sorte de rite pour lui de se préparer au sommeil par la méditation en présence des grands spectacles du ciel nocturne. Quelquefois, à une heure assez avancée de la nuit, si les deux vieilles filles ne dormaient pas, elles l'entendaient marcher lentement dans les allées. Il était là seul avec lui-même, recueilli, paisible, adorant, comparant la sérénité de son cœur à la sérénité de l'éther, ému dans les ténèbres par les splendeurs invisibles de Dieu, ouvrant son âme aux pensées qui tombent de l'Inconnu. Dans ces moments-là, offrant son cœur à l'heure où les fleurs nocturnes offrent leur parfum, allumé comme une lampe au centre de la nuit étoilée, se répandant en extase au milieu du rayonnement universel de la création, il n'eût pu peut-être dire lui-même ce qui se passait dans son esprit; il sentait quelque chose s'envoler hors de lui et quelque chose descendre en lui. Mystérieux échanges des gouffres de l'âme avec les gouffres de l'univers!

«Il songeait à la grandeur et à la présence de Dieu; à l'éternité future, étrange mystère; à l'éternité passée, mystère plus étrange encore; à tous les infinis qui s'enfonçaient sous ses yeux dans tous les sens; et, sans chercher à comprendre l'incompréhensible, il le regardait. Il n'étudiait pas Dieu; il s'en éblouissait. Il considérait ces magnifiques rencontres des atomes qui donnent des aspects à la matière, révèlent les forces en les constatant, créent les individualités dans l'unité, les proportions dans l'étendue, l'innombrable dans l'infini, et par la lumière produisent la beauté. Ces rencontres se nouent et se dénouent sans cesse; de là la vie et la mort.

«Il s'asseyait sur un banc de bois adossé à une treille décrépite; il regardait les astres à travers les silhouettes chétives et rachitiques de ses arbres fruitiers. Ce quart d'arpent si pauvrement planté, si encombré de masures et de hangars, lui était cher et lui suffisait.

«Que fallait-il de plus à ce vieillard qui partageait le loisir de sa vie, où il y avait si peu de loisir, entre le jardinage le jour et la contemplation la nuit?

«Cet étroit enclos, ayant les cieux pour plafond, n'était-ce pas assez pour pouvoir adorer Dieu tour à tour dans ses œuvres les plus charmantes et dans ses œuvres les plus sublimes? N'est-ce pas là tout, en effet, et que désirer au delà? Un petit jardin pour se promener, et l'immensité pour rêver. À ses pieds ce qu'on peut cultiver et recueillir; sur sa tête ce qu'on peut étudier et méditer: quelques fleurs sur la terre, et toutes les étoiles dans le ciel.»

XII.

Nous venons de voir ce que c'est que le paradoxe en matière de sentiment sous la plume d'un écrivain de génie: une absolution de mauvais exemple chantée comme un Te Deum aux excès et aux forfaits de la démagogie de 1793 sur les lèvres d'un saint; des maximes pernicieuses de fausse économie sociale dans la bouche d'un homme charitable égaré par sa passion de soulager le pauvre peuple. N'en parlons plus, et souvenons-nous tour à tour tantôt d'adoucir, tantôt de réprouver les étranges disparates de cette philosophie à tiroir.

Ceci est en effet un roman à tiroir, comme l'Émile de J.-J. Rousseau, comme la Nouvelle Héloïse, comme tout ce qui est beau dans l'art d'écrire. Ce livre, comme tous ces livres d'art supérieur, n'est évidemment pas son but à lui-même. C'est un cadre dans lequel l'écrivain, tour à tour philosophe, penseur, sophiste, poëte, prend, comme l'aigle, son lecteur à terre, l'emporte avec lui çà et là dans l'irrésistible élan de son style, lui fait parcourir un pan de l'espace, lui donne le vertige, l'enthousiasme, le délire de son talent, puis ne se souvient plus ni de lui, ni de sa composition, ni de son sujet parcouru à grand vol, le dépose à terre sûr de le reprendre à son gré et lui dit de nouveau: «Allons!» comme le cheval de Job ou comme l'hippogriffe de l'Arioste.

Ce ne sont pas les lois ordinaires du roman conçu, médité, écrit par un écrivain consciencieux et humain; c'est le procédé d'un dieu de la plume, d'un possédé de la verve, qui se dit à soi-même: «À quoi bon composer du vraisemblable? À quoi bon faire naître la curiosité, l'intérêt, le sentiment, et les nourrir pour attacher mes lecteurs? Je n'ai pas besoin de ces procédés vulgaires: je suis moi, j'ai mon talisman en main, j'ai mes ailes au talon, je vais où je veux; qui m'aime me suive!»

XIII.

Et on le suit, car, si on n'est pas attaché, on est entraîné, on est étonné, on est ébloui. D'ailleurs c'est le roman du peuple. Le peuple jusqu'ici n'avait pas de roman à lui, de roman tantôt crapuleux, tantôt sublime, tantôt rêveur, surtout utopiste, quelquefois dangereux, souvent héroïque, fait à son image.

Enfin Victor Hugo a senti le vide d'un livre où le prolétaire lit, où le démagogue pense, où l'ouvrier songe. Il s'est dit: «Je vais me jeter avec mon talent au milieu de tout cela, je vais me donner le vertige et le donnerai à cette foule sans savoir comment je la nourrirai!»

Et il y a longtemps, bien longtemps avant la révolution de 1848, que cette idée lui est venue: car je me souviens parfaitement qu'avant 1848 il y pensait, il s'en occupait, il avait peut-être commencé à l'écrire.

Les misères humaines sont si vastes, si incurables, si diversifiées, si inhérentes à notre nature physique et morale, qu'il n'est aucun écrivain sympathique et réfléchi qui n'ait été tenté, depuis Job jusqu'à Hugo, d'écrire une des pages de ce livre de nos misères.

Misère du cœur qui s'attache et qui se brise en se sentant enlever ce qu'il aime plus que la vie; misère du sage qui se dessèche et qui s'effeuille comme une racine de cyprès sur une tombe, et qui ne végète plus que par l'écorce; misère de l'amour qui est séparé de l'amour par les impitoyables obstacles de la vie, qui meurt ou qui voit mourir tout ce qui fait passer l'homme sur la dure nécessité de vivre; misère de la condition dans laquelle Dieu nous a fait naître, comme des mineurs dans l'onde humide et froide des puits de métal ou de charbon où il faut aller puiser le salaire, pain du soir; misère du dénûment qui menace tous les jours de la faim du lendemain le salarié quelconque qui se sent gagné par la vieillesse ou l'infirmité, comme l'homme qui s'enfonce dans le sol du marécage qui va l'étouffer; misère de l'inexorable maladie paralysant sur son grabat le jeune travailleur, qui ne peut répondre aux larmes de sa femme et aux cris affamés de ses petits enfants qu'en tordant ses bras désespérés et qu'en maudissant l'imprudence qui l'a poussé à devenir père; misère de l'homme sans ressources, chassé par ses créanciers impitoyables du toit qui l'a vu naître, de l'ombre qu'il a plantée, pour aller errer sans asile, sans pain, sans tombeau et sans berceau sous des cieux inconnus!

Misères du cœur, de l'esprit, de l'âme et du corps, misères surtout qui frappent ce que vous aimez à cause de vous, et qui font un devoir de vivre pour d'autres encore après avoir perdu toute raison de vivre pour vous-même! Désespoirs qui font mourir tous les jours et qui contraignent cependant à vivre comme si l'on espérait!

Misère qui cloue un infirme sur le matelas d'un hôpital, qui lui fait sentir la répugnance que les infirmités inspirent à ceux qui le servent par salaire ou par charité, et qui lui font implorer contre lui-même une mort qui s'annonce toujours comme une illusion et qui ne vient jamais!

Misère du suicidé qui s'est manqué et qu'on repêche du flot, humble, contraint, et méditant peut-être un deuxième suicide! impossibilité de souffrir, impossibilité de vivre, impossibilité de mourir!

XIV.

Qui n'a pas senti, souffert, pensé, songé, sur tant de misères? Quel poëte ne les a pas éprouvées toutes par la sympathique faculté de saisir tout ce que l'humanité souffre encore en lui?

Qui n'a pas senti que le plus inépuisable et le plus lamentable des sujets est une de ces misères? Et que serait-ce si c'était toutes à la fois! Moi-même, à peu près vers le même temps où Hugo concevait son épopée des Misérables, ce retentissement du gémissement des choses humaines résonnait dans mon cœur, et j'écrivais aussi, non un livre entier, non un livre dogmatique, mais un épisode de toutes ces misères résumées en moi. Puis le besoin de venir en aide à mon pays, ce grand misérable, m'enlevait le loisir nécessaire à mon œuvre; puis les calamités réelles de la misère relative m'atteignaient en me forçant à un travail de manœuvre arriéré pour que d'autres ne souffrissent pas par ma faute; je fermais dans mon cœur la source de larmes sympathiques, et je travaillais saignant, comme je saigne encore, sous le fouet de la nécessité. Je comprends très-bien que Victor Hugo, plus libre, plus plein de loisirs que moi, ait été tenté par ce seul sujet, véritablement digne de l'homme, par ce poëme, terrible et touchant à l'invraisemblable, de la misère des êtres humains: seulement je ne comprends pas autant pourquoi il fait de cette souffrance

201/203

universelle des êtres un sujet d'amertume, de critique acerbe, d'accusation contre la société.

Qui fait cela? Est-ce la société qui a fait la vie? est-ce elle qui a fait la mort? est-ce elle, enfin, qui a fait l'inégalité, inexplicable mais organique, des natures et des conditions? Non, c'est Dieu; ce n'est pas elle. La plaindre, oui; la conseiller, bien: mais l'accuser, non; c'est irréfléchi et c'est barbare. Elle souffre assez de ces misères: ne la faites pas souffrir davantage de l'impuissance de les supprimer toutes; adressez-vous à Dieu, qui a fait l'homme misérable, et n'ajoutez pas le supplice de haïr au malheur de vivre ensemble pour mourir si vite des mêmes supplices!

XV.

Quoi qu'il en soit, les Misérables de Victor Hugo sont sortis, comme un coup de foudre contre la société mal faite, de cette préméditation de vingt ans, faisant maudire et haïr, au lieu d'en sortir comme une commisération secourable, faisant pleurer, plaindre et bénir, ainsi que j'avais de mon côté conçu mon triste sujet.

Le coup de foudre s'est trompé! Il a aggravé la condition malade, au lieu de la consoler et de la guérir en ce qu'elle a de guérissable. La société n'en sera pas moins impuissante à corriger l'incorrigible, la misère n'en sera pas moins incurable dans ses infirmités organiques. Seulement il y aura une erreur de plus entre les hommes, L'IDÉAL, exagéré par l'imagination, l'accusation réciproque des uns contre les autres, la haine aveugle résultant de la mauvaise volonté supposée de tous contre tous, par conséquent un surcroît de calamités incurables.

XVI.

Belle œuvre d'imagination, mauvaise œuvre de raison. Semer l'idéal et l'impossible, c'est semer la fureur sacrée de la déception dans les masses.

Quand on a tant promis l'idéal, il faut détromper avec la réalité. Alors la fureur commence, et les poëtes, comme André Chénier, portent leur tête sur l'échafaud.

Et remarquez déjà, chose étonnante dans ce poëme des travailleurs illusionnés: c'est que personne n'y travaille, et que tous sortent du bagne ou sont dignes d'y être, à l'exception de l'évêque et de Marius, de la religion et de l'amour.

Les Misérables de Victor Hugo seraient beaucoup mieux intitulés les Coupables; quelques-uns même les Scélérats, tels que Valjean.

Lamartine.

(La suite au prochain Entretien.)

FIN DU TOME QUATORZIÈME.